B.A.-BA

Mandalas

Michèle V. Chatellier

B.A.-BA

MANDALAS

Pardès
9, rue Jules-Dumesnil
45390 Puiseaux

◊ Traduit en portugais par les éditions Hugin – ◆ Traduit en espagnol par les éditions Alcántara

Si vous souhaitez être tenu au courant de la publication de nos ouvrages, il vous suffira d'en faire la demande aux Éditions Pardès, B.P. 47, 45390 Puiseaux. Vous recevrez alors, sans aucun engagement de votre part, le bulletin où sont régulièrement présentées nos nouveautés que vous trouverez chez votre libraire.

La calligraphie du titre de la collection ℬ.Ⱥ.-ℬⱥ est de Christian Zimmermann.

© Éditions Pardès, Puiseaux, 2003
ISBN 2-86714-278-4
ISSN 1245-1916

SOMMAIRE

Le temps passe mais les souvenirs restent
Le vent souffle mais n'efface pas sur le sable
Le regret de l'absence...
Toi qui flottes au-delà des nuages
Tu me nourris maintenant de ton amour céleste
Et je dois seulement m'en contenter!
Tu me manques tellement.
À ma mère...

Mandala zodiacal. Symbolise le signe des Poissons.
4 cercles, l'eau, les couleurs bleu, vert, violet et blanc.

POURQUOI UTILISER UN MANDALA?

Le mandala est un support de concentration et de méditation, à la portée de tous, petits et grands, mais non au même niveau.

De plus en plus, il est maintenant recommandé dans les écoles européennes et américaines pour initier les jeunes à la concentration et à la création. Par les couleurs, les enfants s'expriment et acquièrent une sagesse et une maturité surprenantes.

L'adulte, lui, en s'exprimant par les couleurs, atteint un degré élevé de relaxation. Il s'en sert pour exprimer ses joies et ses peines et, aussi, comme support dans la méditation.

Créer, dessiner ou simplement colorier un mandala permet d'extérioriser tout ce qui est gardé intérieurement. Il permet de donner libre cours à sa colère, sa peur, sa peine ou sa joie.

Un mandala peut être dédié à une personne en particulier : il sera alors créé selon sa propre intuition et sa perception de la personne à qui l'on pense ou à qui on veut l'offrir.

Offrir un mandala, c'est offrir son cœur et les sentiments qu'on ne sait pas toujours exprimer correctement.

J'ai découvert les mandalas il y a quelques années, je les ai utilisés et je sais par expérience tout le bien que l'on peut en tirer. Créer, dessiner, inventer et colorier selon ses aspirations permet de voir la vie sous un autre jour.

J'en ai vainement cherché pendant des années... j'en ai trouvé très peu... aussi ai-je décidé de vous en offrir...

Aussi, n'hésitez pas à les utiliser pour vous, pour vos enfants ou pour offrir! Contemplez un mandala pendant quelques instants et vous gagnerez la sérénité du cœur et de l'esprit!

QU'EST-CE QU'UN MANDALA?

Il existe plusieurs significations du mandala, mais toutes se rejoignent. C'est avant tout un support de concentration, de relaxation, de détente et de méditation. C'est un cercle, à l'intérieur duquel on insère des ronds, des carrés, des triangles, des fleurs, des animaux, et toutes sortes de dessins, selon l'inspiration du moment. Un mandala n'est pas symétrique, il a plusieurs formes, mais dans tous les mandalas on retrouve des symboles semblables. Il exprime le ressenti de la personne qui le dessine et chacun a une signification propre. Il est souvent associé au totem, à certains talismans et au labyrinthe par son symbolisme.

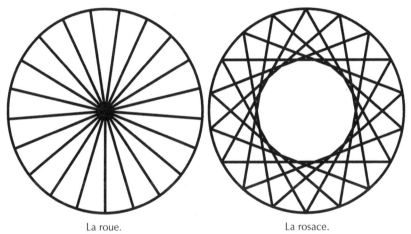

La roue.   La rosace.

Selon le *Petit Robert*:

Mandala: Représentation géométrique et symbolique de l'univers dans le brahmanisme et le bouddhisme.

Selon Larousse:

Mandala: Mot sanscrit, cercle. Dans le bouddhisme du Grand Véhicule et dans le tantrisme, diagramme géométrique dont les couleurs symboliques, les enceintes concentriques, etc., figurent l'univers et servent de support à la méditation. Graphie savante: mandala.

Selon le *Dictionnaire des symboles*:

Mandala: Le mandala est littéralement un cercle, bien que son dessin soit complexe et souvent contenu dans une enceinte carrée. Comme le yantra (moyen emblématique), mais de façon moins schématique, le mandala est à la fois un résumé de la manifestation spatiale, une image du monde, en même temps que la représentation et l'actualisation de puissances divines; c'est aussi une image psychologique, propre à conduire celui qui la contemple à l'illumination.

Selon C. G. Jung:

Mandala: Représentation symbolique de la psyché dont l'essence est inconnue à l'homme. Il a observé que ces images sont utilisées pour consolider l'être intérieur ou pour favoriser la méditation en profondeur. La contemplation d'un mandala est censée inspirer la sérénité, le sentiment que la vie a retrouvé son sens et son ordre. Le mandala produit le même effet lorsqu'il apparaît spontanément dans les rêves de l'homme moderne, qui ignore ces traditions religieuses. Les formes rondes du mandala symbolisent généralement l'intégrité naturelle, alors que la forme quadrangulaire représente la prise de conscience de cette intégrité. Dans le rêve, le disque carré et la table ronde se rencontrent, annonçant une prise de conscience imminente du centre. Le mandala a une double fonction: conserver l'ordre psychique, s'il existe déjà; le rétablir, s'il a disparu. Dans ce dernier cas, il exerce une fonction stimulatrice et créatrice.

À la fin de ce livre, un chapitre donnera la signification de tous les mots qui vous sont inconnus et dont l'utilisation est très fréquente dans la création d'un mandala.

LE MANDALA DANS LE MONDE

Comme nous l'avons vu précédemment, littéralement, mandala veut dire *cercle*. Il constitue aussi parfois un motif architectural, une sorte de cercle sacré, et contient la représentation des divinités bouddhiques.

Le mandala existait dans la tradition chrétienne, bien qu'il n'ait pas porté ce nom. En Inde, les représentations des mandalas portent le nom de yantras. Ils sont généralement formés de triangles, de carrés et de cercles imbriqués qui interpellent les structures psychiques inconscientes.

L'hexagramme. Mandala dont la création rappelle l'hexagramme, soit des triangles inversés et imbriqués. Cercles, triangles et rosaces.

À l'origine, *mandala* est un mot sanscrit qui, dans les textes les plus anciens, signifie «centre», «circonférence», «cercle magique».

Le cercle apparaît de bonne heure dans l'histoire humaine, dans la mythologie égyptienne, chez les Amérindiens, dans leur modèle d'orientation, dans le zodiaque, dans les rituels religieux, dans les mandalas tibétains, dans les labyrinthes des cathédrales ainsi que dans les rosaces.

La tradition occidentale (particulièrement, la tradition chrétienne) connaît de très nombreuses représentations, qui sont exactement semblables aux mandalas orientaux par la recherche symbolique qu'elles comportent. La seule différence réside dans le nom utilisé.

Le mandala traditionnel hindou est la détermination, par le rite de l'orientation, de l'espace sacré central. C'est le symbole spatial de Purusha (Vâstu-Purusha mandala), de la présence divine du centre du monde. Il se présente comme un carré subdivisé en carrés plus petits. On le retrouve aussi en Inde extérieure et, notamment, à Angkor.

Le mandala tantrique dérive du même symbolisme; peint ou dessiné comme support de méditation, tracé sur le sol pour les rites d'initiation, il s'agit, uniquement, d'un carré orienté, à quatre portes, contenant cercles et lotus, peuplé d'images et de symboles divins. Les portes extérieures sont pourvues de gardiens; leur franchissement successif correspond à autant d'étapes dans la progression spirituelle, de degrés initiatiques, jusqu'à ce que soit atteint le centre, l'état différencié du Bouddha-Chakravartî.

Le Bouddhisme extrême-oriental (Shingon) présente des mandalas peints en forme de lotus dont le centre et chaque pétale porte l'image d'un bouddha ou d'un Bodhisattva. On y trouve surtout le double mandala, dont le centre est occupé par Vairocana, celui du monde du diamant (vajradhâtu), et celui du monde-matrice (garbhadhâtu), mais dont le fruit qui va naître est la libération.

Pour les Japonais bouddhistes de secte Shingon, les figurations concentriques des mandalas sont l'image de deux aspects complémentaires et, finalement, identiques de la réalité suprême.

Dans la tradition tibétaine, le mandala est le guide imaginaire et provisoire de la méditation. Il manifeste, dans ses combinaisons variées de cercles et de carrés, l'univers spirituel et matériel ainsi que la dynamique des relations qui les unissent, en triple au plan cosmique, anthropologique et divin.

Le mandala est présent partout, aujourd'hui, bien qu'on n'y fasse pas attention ou par ignorance. On le retrouve dans la nature: l'atome avec ses électrons, la cellule et son noyau, le tronc d'un arbre avec ses cercles de l'espace et du temps, dans les fleurs et les coquillages. Dans la représentation du système solaire, de la roue zodiacale.

En art architectural, l'homme a construit depuis des millénaires des cités médiévales, des châteaux-forts, des pyramides, des remparts, des rosaces dans les cathédrales qui ont tous un symbolisme différent. Par exemple, on peut citer la cathédrale de Chartres, en France, mondialement connue pour ses rosaces magnifiques, qui sont divisées en douze segments représentant le monde de la perfection. À Beauvais, la rosace représente la roue du destin. Les labyrinthes gravés sur le sol des églises sont à la fois la signature des confréries initiatiques des constructeurs et les substituts des pèlerinages en Terre sainte. On en retrouve de magnifiques à la cathédrale de Chartres et à Amiens. Il ne faut pas oublier non plus, bien sûr, la magnifique Notre-Dame de Paris avec ses nombreuses fresques et ses vitraux qui rappellent le monde initiatique mandalique.

En Occident, on connut l'usage du mandala à des fins thérapeutiques. Il fut connu, à cet effet, par C. G. Jung. Toutefois, maintenant, la connaissance théorique et pratique des spiritualités orientales s'est grandement développée. En effet, le mandala a trouvé son autonomie en tant qu'art et pratique de méditation, en tant que support pour la relaxation et pour la concentration et en tant que modèle de création et d'invention pour les enfants. On ne saurait trop insister sur le fait que le mandala représente l'équilibre ; c'est un apport intéressant et nécessaire pour l'analyse de certaines formes mentales et pour l'évolution de la spontanéité, de la cohérence et de la stabilité, aussi bien émotionnelle que psychique, et ce, pour tous les âges de la vie humaine.

LES FORMES DANS LE MANDALA

DIAMANT

De toutes les couleurs, ses qualités physiques – dureté, limpidité, luminosité – font du diamant un symbole majeur de la perfection, bien que son éclat ne soit pas uniformément considéré comme bénéfique. Le diamant est le sommet de la maturité. L'alchimie indienne l'associe à l'immortalité, en l'identifiant à la pierre philosophale. Selon le bouddhisme, il est le symbole de l'inaltérable, de la puissance spirituelle. Selon l'iconographie tibétaine, il s'oppose à la cloche, comme le monde actif au monde passif et comme la sagesse à la méthode. Il devient le symbole de l'esprit. Dans le langage courant, c'est le symbole de la fermeté du caractère résistant aux persécutions. Dans la tradition occidentale, c'est le symbole de la souveraineté universelle et de la réalité absolue. Selon Pline, il est le talisman universel qui rend inopérants tous les poisons et toutes les maladies. Il chasse les mauvais esprits et écarte les mauvais rêves. Selon la tradition de l'Europe occidentale, il chasse les fantômes, les sorciers et toutes les terreurs de la nuit. Dans la langue iconologique, c'est le symbole de la constance, de la force et des autres vertus héroïques. La forme du diamant brut est à rapprocher de la croyance qui considère le cube comme un autre symbole de la vérité, de la sagesse et de la perfection morale. Dans l'art de la Renaissance, il a symbolisé l'égalité de l'âme, le pouvoir de libérer l'esprit de toute crainte, la bonne foi.

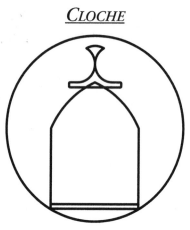

Partie féminine de la polarité : le symbole est surtout en rapport avec la perception du son. En Inde, elle symbolise le son qu'elle perçoit, qui est le reflet de la vibration primordiale. Dans l'Islam, c'est le son subtil de la révélation coranique, la répercussion de la puissance divine dans l'existence. En Chine, le son est en rapport avec le tonnerre et s'associe au bruit du tambour ; il est un critère de l'harmonie universelle. Selon la loi bouddhique, la cloche a un pouvoir d'exorcisme et de purification. Elle éloigne les influences mauvaises ou du moins les écarte. Le symbolisme tibétain, opposé à la foudre, signifie le monde phénoménal, le monde des apparences, symbolisé par l'extinction rapide du son. Par la position de son battant, elle évoque la position de tout ce qui est suspendu entre ciel et terre et qui établit une communication entre les deux. Elle possède aussi le pouvoir d'entrer en communication avec le monde souterrain. Une clochette magique sert à évoquer les morts. Elle est composée d'un alliage de plomb, d'étain, de fer, d'or, de cuivre et de vif-argent. En bas est inscrit le nom «tétragrammaton», au-dessus les noms des sept esprits des planètes, puis le nom «Adonaï» et, sur l'anneau, «Jésus». Pour qu'elle soit efficace, il faut, selon Girardius Pervilues, l'envelopper dans un morceau de taffetas vert et la conserver en cet état jusqu'à ce que la personne ait la facilité de la mettre dans une fosse au cimetière et de l'y laisser sept jours.

ROUE

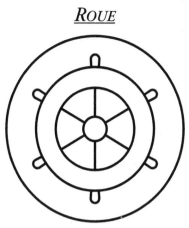

La roue tient du cercle, mais avec une valeur d'imperfection car elle se rapporte au monde du devenir, de la création continue. Elle symbolise les recommencements, les cycles, les renouvellements. La roue est le symbole privilégié du déplacement, de l'état spirituel. C'est un symbole solaire dans la plupart des traditions. De très nombreuses croyances, formules, pratiques, associent la roue à la structure des mythes solaires. La signification cosmique de la roue s'exprime dans les textes védiques. Sa rotation permanente est renouvellement. La roue que met en mouvement le Bouddha est la roue de la loi de la destinée humaine. Le tantrisme appelle roue, les corps subtils traversés par le courant de la kundalini comme les roues par leur essieu. La roue est un signe très fréquent dans les représentations celtiques. La roue la plus simple est la roue à quatre rayons. C'est l'expansion selon les quatre directions de l'espace ainsi que le rythme quaternaire de la Lune et des saisons. La roue à six rayons ramène au symbolisme solaire. La roue la plus fréquente a toujours huit rayons. Ce sont les huit directions de l'espace, également évoquées par les huit pétales du lotus. C'est aussi la disposition des huit trigrammes chinois. Si la roue de l'existence chinoise n'a que six rayons, c'est qu'il existe seulement six classes d'êtres. Si la roue du dharma a huit rayons, c'est que la Voie a huit sentiers. La roue est aussi le symbole du changement et du retour des formes de l'existence.

VAJRA

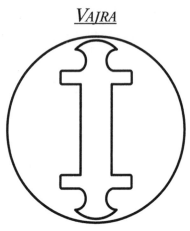

Le symbole de l'âme effective et de la compassion du Bouddha pour la personne qui médite. Instrument rituel du bouddhisme tantrique, partie mâle de la polarité tantrique, composé d'un grain central, le germe de l'esprit, axe et cœur de l'univers, et de fleurs de lotus symétriques. Le vajra peut se traduire par diamant, foudre, sceptre ou pierre philosophale ; il offre deux parties identiques, comme deux mandalas systématiquement opposés. Il symbolise l'amour universel ainsi que les moyens habiles qui permettent d'atteindre la libération. Le vajra, posé sur un lotus, au centre d'un mandala, engendre tout ce qui existe au cœur de cette représentation de l'univers, c'est-à-dire le propre esprit du méditant, et le cosmos tout entier reflété dans cet esprit comme un pur miroir.

LOTUS

Symbole de l'enseignement de Bouddha. La plante s'élève jusqu'à la lumière. C'est le symbole de l'aspiration à la pureté. Dans l'iconographie égyptienne, c'est la vulve archétypale, le gage de la perpétuation des naissances et des renaissances. Les spiritualités indienne et bouddhique interprètent dans un sens moral la couleur immaculée du lotus, s'ouvrant intact au-dessus de la souillure du monde. Selon les grands livres de l'Inde, c'est le symbole de l'épanouissement spirituel. Le lotus tradi-tionnel a huit pétales car l'espace a huit directions; c'est le symbole de l'harmonie cosmique. C'est pourquoi on l'utilise dans de nombreux mandalas. Dans l'iconographie khmère, le lotus est remplacé par la terre, qu'il représente en tant qu'aspect passif de la manifestation. Dans le symbolisme tantrique, les sept centres subtils de l'être que traverse l'axe vertébral sont figurés comme des lotus à quatre, six, huit, dix, douze, seize, vingt ou mille pétales. Le lotus aux mille pétales signifie la totalité de la révélation. En Extrême-Orient, le lotus a aussi une signi-fication alchimique, car la fleur du lotus est blanche.

Arbre

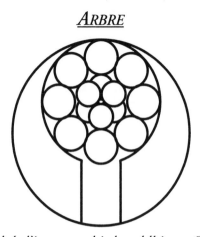

Élément essentiel de l'iconographie bouddhique. C'est l'emblème de l'illumination spirituelle. C est l'un des thèmes les plus riches et les plus répandus. Toutefois, l'arbre, même sacré, n'est pas partout un objet de culte. Il est la figuration symbolique d'une entité qui, elle, peut devenir un objet de culte. Symbole de la vie, il évoque le symbolisme de la verticalité ainsi que le caractère cyclique de l'évolution cosmique : mort et régénération. L'arbre met en communication les trois niveaux du cosmos : le souterrain, la surface de la terre et les hauteurs. L'arbre de vie a pour sève la rosée céleste, et ses fruits transmettent une parcelle d'immortalité. C'est un thème de décoration très répandu en Iran, où on le figure entre deux animaux. À Java, il est représenté avec la montagne centrale. L'association de l'arbre de vie et de la manifestation divine se retrouve dans les traditions chrétiennes. En Orient comme en Occident, l'arbre de vie est souvent renversé. Cela proviendrait d'une conception du rôle du soleil et de la lumière dans la conscience des êtres. La même tradition s'affirme dans l'ésotérisme hébraïque, l'Islam, l'Islande et la Finlande. Le symbolisme de l'arbre est ambivalent. Le tronc dressé vers le ciel est le symbole de la force et de la puissance solaire, tandis que l'arbre creux est l'image archétypale lunaire de la mère fertile. Symbolisant la croissance d'une famille, d'une cité ou d'un peuple, l'arbre de vie peut d'un seul coup renverser sa polarité et devenir l'arbre de la mort, tel que le disent la Kabbale et le Zohar.

EAU

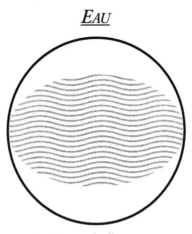

Les significations symboliques de l'eau peuvent se résumer à trois thèmes : la source de vie, le moyen de purification et le centre de régénérescence. On les rencontre dans les traditions les plus anciennes. Les eaux représentent l'infinité des possibles. En Asie, l'eau est la forme substantielle de la manifestation, l'origine de la vie et l'élément de la régénération corporelle et spirituelle, le symbole de l'attente de la guérison et de la satisfaction des vœux. Dans le bouddhisme Zen, c'est le support et le symbole de la méditation. L'eau est l'instrument de la purification rituelle. L'eau opposée au feu est yin. Elle correspond au froid, au nord, au solstice d'hiver, aux reins, à la couleur noire. Dans les traditions juive et chrétienne, l'eau symbolise l'origine de la création. Les Orientaux regardent l'eau comme un symbole de bénédiction. L'eau vive. L'eau de la vie se présente comme un symbole cosmogonique parce qu'elle guérit, elle purifie, elle rajeunit et introduit dans l'éternel. Les cultes sont presque toujours concentrés près des sources. L'eau peut aussi comporter une puissance mauvaise. Elle peut envahir et engloutir. C'est le symbole de la dualité du haut et du bas. Les eaux calmes signifient la paix et le calme. Les eaux amères signifient l'amertume du cœur. L'eau est le symbole des énergies inconscientes, des puissances informes de l'âme, des motivations secrètes et inconnues.

LUMIÈRE

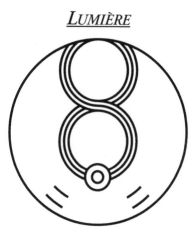

La lumière est un premier aspect du monde informel. Elle est en relation avec l'obscurité pour symboliser les valeurs d'une évolution. Selon la Kabbale, son rayonnement engendre l'étendue. La lumière succède aux ténèbres, tant dans l'ordre de la manifestation cosmique que dans celui de l'illumination intérieure. C'est aussi un symbolisme propre à certaines expériences mystiques. La lumière symbolise constamment la vie, le salut, le bonheur, en opposition aux ténèbres, qui symbolisent le mal, le malheur, le châtiment, la perdition et la mort. Son sens symbolique est venu de la contemplation de la nature.

LION (AUSSI AUTRES ANIMAUX)

Symbole solaire de la puissance, il est chargé des qualités et des défauts inhérents à son rang. Il a longtemps été associé aux différentes images du Bouddha. Il a pour fonction de garder l'entrée des temples. Il est l'incarnation du pouvoir, de la sagesse et de la justice, mais il a un excès d'orgueil. Beaucoup d'animaux sont inclus dans les mandalas. Le lion est garant du pouvoir matériel et spirituel. Il est la puissance de l'énergie divine. En Extrême-Orient, il joue aussi un rôle de protecteur contre les influences malfaisantes. Cinquième signe du zodiaque, il occupe le milieu de l'été. Il est caractérisé par l'épanouissement de la nature sous les chauds rayons du soleil.

SERPENT

Le serpent se distingue de toutes les espèces animales. Rapide comme l'éclair, il jaillit toujours d'une bouche d'ombre. Il est l'homologue de la kundalini du point de vue macrocosmique. Les traditions font du serpent le maître des femmes, car il symbolise la fécondité. En Inde, les femmes qui veulent un enfant, adoptent un cobra. Symbole de l'enfer et du royaume des morts. Introduit une idée de renaissance. C'est le gardien des trésors de la terre. Symbolise le passage d'un lieu à un autre. Lié aux sources de la vie et de l'imagination, le serpent a conservé ses valeurs symboliques les plus contradictoires en apparence.

OFFRANDE

Représente l'une des formes de dévotion les plus courantes, au même titre que les dons aux monastères et aux églises. Habituellement, ce sont des offrandes sous forme d'encens, de bougies ou de fleurs qui symbolisent le parfum et la lumière émanant de Bouddha lui-même.

CHAPELET

Il accompagne le fidèle dans ses prières, mais spécialement le bouddhiste. Il est composé de 108 grains et les dizaines sont souvent séparées par des anneaux en argent; cela permet de compter le nombre de fois où il prononce le nom de Bouddha ou une syllabe sacrée comme un mantra. On l'offre, en Extrême-Orient, aux hôtes que l'on désire honorer. La matière et la couleur varient selon les personnes. On peut rapprocher son symbolisme de celui du moulin, car les formules récitées sur chaque grain sont toutes semblables.

Moulin

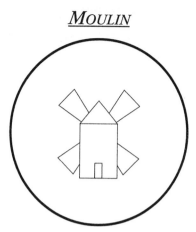

Il contient une bande de papier sur laquelle sont imprimés les mantras que le fidèle répète inlassablement. Il est surtout utilisé au Tibet, où il est censé contenir une formule énergétique. En le mettant en mouvement, on établit le contact entre le microcosme et les dieux régissant l'univers. Ce contact est indispensable et bénéfique. Le moulin est le réceptacle d'une force sacrée, enclose dans le son de la parole, que l'on peut mouvoir à son profit.

CERCLE

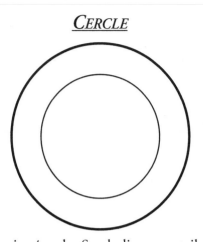

Il équivaut à un point étendu. Symboliquement, il a les propriétés de perfection, d'homogénéité, d'absence de distinction ou de division. Symbole du ciel et du temps, combiné au carré, il évoque le mouvement, le changement. C'est le symbole du monde spirituel, invisible et transcendant. Dans le bouddhisme, on trouve souvent des dessins de cercles concentriques. Ils symbolisent les étapes du perfectionnement intérieur, l'harmonie progressive du temps. Le cercle est la figure des cycles célestes et donc des révolutions planétaires, du cycle annuel figuré par le zodiaque. Son usage dans le mandala est celui de la cristallisation spatiale. On retrouve son utilisation dans l'architecture hindoue traditionnelle. La Kabbale l'utilise dans un carré pour signifier l'étincelle du feu divin cachée dans la matière. Dans l'Antiquité, le cercle a servi à indiquer la totalité, la perfection, à englober le temps pour mieux le mesurer. Dans le monde celtique, il a une fonction et une valeur magiques. Le cercle exprime le souffle de la divinité sans commencement ni fin. Dans la tradition islamique, la forme circulaire est considérée comme la plus parfaite de toutes. Le cercle symbolise également les diverses significations de la parole. Un premier cercle symbolise le sens littéral, un second, le sens allégorique, et un troisième, le sens mystique. C'est la ceinture de défense qui entoure les villes. Dans la tradition chrétienne, il représente l'éternité. Il représente aussi le cosmos, l'univers.

CARRÉ

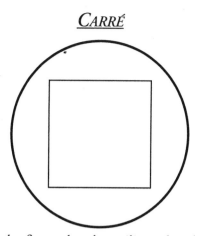

Le carré est l'une des figures les plus utilisées dans le langage des symboles. Il symbolise la terre par opposition au ciel, mais aussi à un autre niveau. Il est le symbole créé de la Terre et du Ciel. Il symbolise l'arrêt, une idée de stagnation. On l'utilise pour beaucoup d'espaces sacrés : les autels, les temples, les camps militaires. Il s'inscrit souvent dans un cercle. Les kabbalistes combinent fréquemment les deux. En Chine, l'espace est carré. Il est défini par les quatre directions yang qui signifient aussi carré. On le retrouve aussi en Corée, au Vietnam, au Cambodge. Dans la tradition chrétienne également, le carré, en raison de sa forme égale des quatre côtés, symbolise le cosmos. Ses quatre piliers d'angle désignent les quatre éléments. Les églises carrées sont nombreuses en Angleterre. En France, les églises carrées sont cisterciennes. L'homme carré, les bras étendus et les pieds joints, désigne les quatre points cardinaux. Le carré tient une place très importante dans les traditions de l'Islam. Les quatre piliers représentent la prière rituelle, l'impôt, le jeûne annuel et le pèlerinage à la maison de Dieu. Il existe aussi de très riches traditions du carré magique. Il évoque le secret et le pouvoir occulte. Sous sa forme la plus simple, le carré magique comporte neuf cases dont le total de chaque côté égale quinze et dans lesquelles sont incrits les neuf premiers chiffres. On trouve ceci dès le Xe siècle. On trouve aussi des carrés magiques à quatre lettres de côté et aussi à cinq chiffres. En astrologie, le carré représente la terre, la matière, la limitation. Il est incarné par un aspect de 90°. Le thème hindou et kabbalistique est représenté dans un carré, contrairement au thème astrologique qui, lui, est représenté dans un cercle.

TRIANGLE

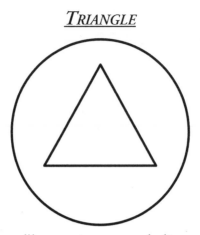

Notion d'union et d'harmonie, son symbolisme recouvre celui du nombre trois. Il symbolise la divinité, l'harmonie et la proportion. L'homme correspond à un triangle équilatéral coupé en deux. Celui-ci, selon Platon, correspond à la terre. On y retrouve un pentagone étoilé qui devient le pentagramme qui désigne l'harmonie universelle. Rattaché au Soleil chez les Mayas, il symbolise la fécondité. Le triangle est très souvent utilisé en architecture ornementale en Inde, en Grèce et en Italie. La pointe en haut, le triangle symbolise le feu et le sexe masculin. La pointe en bas, l'eau et le sexe féminin. Le sceau de Salomon, qui comprend les deux, signifie la sagesse humaine. C'est le symbole de la perfection chez les Hébreux. Alchimiquement, c'est le symbole du feu et celui du cœur. On sait l'importance accordée au triangle par la franc-maçonnerie, qui signifie alors la durée, et sur les côtés qui se rejoignent au sommet, ténèbres et lumière.

ÉTOILE

Source de lumière, elle guide l'homme. Symbole de l'esprit et du conflit entre les forces spirituelles, elle perce l'obscurité et devient un phare projeté sur la nuit de l'inconscient. L'étoile à cinq branches est le symbole du microcosme humain. L'étoile à six branches, emblème du judaïsme, symbolise l'étreinte de l'esprit et de la matière. L'étoile à sept branches participe au symbolisme du nombre sept qui unit le carré et le triangle. L'étoile polaire joue, dans le symbolisme, le rôle du centre absolu autour duquel pivote le firmament. Étroitement liée au ciel, l'étoile évoque les mystères du sommeil et de la nuit.

SYMBOLISME DES COULEURS
DANS LE MANDALA

Les couleurs ont un langage. Elles sont partout autour de nous. On les aime ou on les déteste. On les choisit, que ce soit pour les vêtements, la décoration de la maison ou autre, selon les ressentis, l'attraction ou la répulsion du moment. Dans l'Antiquité, Hippocrate vantait l'influence des couleurs sur le comportement humain.

Pour exister, la couleur a besoin de lumière, car c'est elle qui la fait vibrer et qui lui donne son éclat. Que la lumière soit différente, et la couleur l'est aussi. Il faut aussi un œil pour l'observer et l'apprécier. Tous les hommes ne perçoivent pas la couleur de la même façon. On la perçoit avec les yeux, mais aussi avec le cœur et les ressentis. Certaines couleurs évoquent la joie, le bonheur, la clarté, tandis que d'autres évoquent la tristesse, la douleur et l'obscurité.

Le choix des couleurs utilisées pour la création de mandalas est fait d'après la personne qui dessine ou colorie le mandala. La personne reflétera ses humeurs selon les couleurs appliquées. Les enfants, normalement, auront tendance à choisir des couleurs vivantes, mais il peut arriver, dans les cas d'inceste ou de violence, que ces enfants-là se serviront beaucoup de couleurs ternes ou dites mortes.

BLANC

C'est la synthèse de toutes les couleurs. C'est la couleur de la Lune et des anges. C'est le symbole de virginité, de pureté, de simplicité et d'innocence, et de connaissance. Le blanc représente la force, la lumière, la vie, la sagesse et le divin. Le blanc développe la compassion, l'ouverture aux autres, la foi. C'est la couleur de la fidélité. Porter du blanc laisse moins paraître ses émotions. Le blanc est une couleur calmante.

– En Inde, le blanc est associé aux rites funéraires ; dans un grand nombre de pays d'Asie, les couronnes funéraires sont blanches ainsi que les fleurs données en offrande aux maîtres réincarnés.

– Dans le rituel chrétien, les enfants sont conduits en terre sous un suaire blanc, orné de fleurs blanches. C'est la couleur de la pureté mar-

quant que rien n'a été accompli: tel est le sens initial de la blancheur vir-
ginale de la robe des communiantes et celle de la fiancée qui va vers ses
épousailles.

– Sur le drapeau du Vatican, le blanc est associé à l'or représentant le
règne de Dieu sur la Terre.

– C'est la couleur de l'unité, de la pureté.

Le blanc argent développe les qualités passives et calme les qualités
excentriques. Il donne la paix de l'âme. Cette teinte aide aux réconci-
liations. Elle préserve des maléfices et des mauvaises pensées. C'est un
facteur de chance pure.

BLEU

C'est une couleur équilibrante qui tend à modérer les excès et à rame-
ner celui qui en reçoit les radiations vers son tempérament initial. Elle
symbolise la sagesse divine manifestée par la vie. Elle aide à découvrir
la vérité et contribue à donner une bonne réputation. Elle favorise l'as-
similation, la nutrition et la circulation. Ses radiations sont propices à
la génération.

C'est la couleur du ciel et de la mer, du voyage, de l'infini et de la légè-
reté. C'est l'envie d'évasion, la connaissance, l'intelligence, la loyauté,
la sincérité ainsi que l'immortalité. C'est la couleur de la Vierge Marie
et de l'esprit divin. Elle inspire le calme intérieur et le détachement,
mais favorise l'imagination, le rêve, et développe l'intuition. Elle donne
un sentiment de détente et de protection et elle favorise autant le sommeil que les études.

Les personnes qui aiment le bleu sont rassurantes, généreuses et se
donnent à fond dans ce qu'elles font. Par contre, elles n'aiment pas être
jugées. Porter du bleu permet de surmonter l'égoïsme, de résoudre ses
problèmes et d'éveiller l'intuition. À l'excès, il porte à la dépression et
à la fatigue.

– En Grèce, les prêtres de Chronos, maîtres du Temps, étaient vêtus
de bleu.

– Le bleu apaise, calme profondément.

– Il est un des attributs de Jupiter et de Junon, le dieu et la déesse du
Ciel chez les Romains.

– Les premiers chrétiens avaient choisi le bleu pour symboliser Dieu le père. L'église chrétienne d'aujourd'hui l'utilise le plus souvent comme la couleur de la Vierge. Dans l'art religieux, il est coutumier de représenter la Vierge portant des vêtements de diverses nuances de bleu.

– Le bleu, en tant que symbole de l'eau, nettoie, nourrit et rafraîchit. Elle transforme les substances en les dissolvant. L'eau sert à sanctifier et à consacrer la vie du baptisé.

– Dans le langage sacré égyptien, le bleu symbolise l'immortalité. C'est aussi l'idéalisme, l'altruisme, la sociabilité, le charme, l'humour, la conscience de soi, l'innocence, la recherche du naturel et de la sécurité.

Le bleu foncé renforce la résistance passive et les dispositions égoïstes. Cette couleur rend apathique, inconstant et indifférent. Elle est un facteur de chance et préserve des accidents. Le bleu ciel protège également contre les blessures et les accidents. Cette teinte accroît la personnalité et l'esprit d'entreprise. Elle facilite la venue de conceptions originales. Le bleu clair apporte le calme, la timidité, la prudence. Cette teinte augmente l'optimisme. Elle dissipe la frayeur, la crainte du lendemain. Elle est surtout recommandée pour les jeunes personnes et les enfants. Elle rend les digestions plus aisées et éloigne les cauchemars. Elle calme les crises cardiaques et les mouvements convulsifs.

JAUNE

C'est une couleur qui réchauffe, anime, diffuse et exalte. Elle favorise l'effort intellectuel, la science, les études, tout ce qui vient de la pensée ou de l'âme. Elle rend dominateur, juste, appliqué et attractif. Le jaune élève l'esprit, prédispose à la sobriété et à la longévité. Il faut toutefois que le jaune soit chaud, qu'il rappelle l'or, qu'il tire plus sur le rouge que sur le vert.

Le jaune est la couleur des rois et celle du Soleil. C'est la couleur de l'or, métal inaltérable, et celle du signe du lion. Le jaune est la couleur précieuse par excellence. Elle attire le succès autour de ceux qui s'en parent. Porter du jaune vous remontera le moral et ensoleillera une journée un peu grise.

Les aliments de couleur jaune, comme le miel, l'huile, le blé ou le maïs, emmagasinent l'énergie du Soleil, sa lumière, sa chaleur et sa vitalité, et en restituent à ceux qui les consomment tous les bienfaits. Le jaune est aussi la couleur du désert, de la sécheresse, de l'orgueil, de la trahison et de l'adultère.

– Étant d'essence divine, le jaune d'or devient sur terre l'attribut des princes et des rois qui proclament l'origine sacrée de leur pouvoir.

– En Chine, le jaune est la couleur des empereurs.

– Le jaune peut aussi mener à l'égoïsme, à l'orgueil et à la présomption où l'amour est oublié.

– Le jaune est la couleur du Soleil. Il est devenu l'attribut des divinités solaires telles qu'Apollon, le dieu égyptien Râ et les dieux du soleil chez les Incas et les Aztèques.

– Dans la mythologie égyptienne, la chaleur et les rayons pénétrant du Soleil passaient pour être le sperme d'or du dieu Râ.

– Pour les Indiens cherokees, le jaune est associé au feu sacré de l'actualisation, au pouvoir de l'homme d'actualiser l'intuition du créateur par ses justes efforts.

– Le jaune symbolise la lumière spirituelle. Il évoque le miel.

– C'est aussi l'intuition, le désir d'entreprendre, le terre à terre.

ORANGE

Couleur chaude et agréable, c'est un mélange subtil de rouge et de jaune. Elle donne une grande maîtrise sur soi-même et sur les autres. C'est une teinte vitale. Elle donne une audace réfléchie, de la constance dans l'effort. Elle calme tout ce qui est excessif. Elle régularise les fonctions circulatoires, fait cesser les douleurs utérines et repose la vue. C'est la couleur de l'optimisme et de la bonne humeur. Cette couleur stimule les facultés intellectuelles et sexuelles. C'est la couleur de la créativité et de l'inspiration. Porter de l'orange rend plus débrouillard, plus habile et indépendant. C'est la couleur de l'ambivalence qui représente à la fois l'union et l'adultère. On l'utilise parfois comme un antidote à la fatigue et pour stimuler le sens du goût.

– Dans l'art religieux, l'orange symbolise la révélation de l'Amour Universel. Le langage symbolique chrétien emploie le safran ou l'orangé pour représenter la divinité illuminant l'esprit des fidèles.

– À l'époque médiévale, les jeunes épousées de France revêtaient une robe vermeille.

– Les moines bouddhistes portent une robe safranée, et les chevaliers du Saint-Esprit une croix en velours orange.

– L'orange est la couleur des Épicuriens. Il s'associe au plaisir du bien concret, du goût de vivre. Il éveille les sensations du corps. Priorité est alors donnée aux plaisirs de la table, au corps, à toutes les sensations fortes.

– Actif et tonifiant, l'orange éveille les sens, avive les émotions et provoque une sensation de bien-être et de bonne humeur.

MARRON

Comme le grenat, le marron augmente la force nerveuse. C'est une teinte médiatrice, subtile, intuitive. Elle donne de l'ingéniosité, de l'intellectualité, de la compréhension. Elle développe la perception et l'intuition.

VERT

Les tons de vert sont très nombreux et, au point de vue du goût, les avis sont partagés.

Les tons clairs ont une certaine tendance à diminuer la personnalité ou à la féminiser.

Les tons foncés augmentent les qualités telles que la concentration, la prudence, mais, aussi, l'égoïsme. Symboliquement, le vert traduit la charité, la sagesse, la création, la réalisation, mais il marque aussi la dégradation infernale et la folie.

Le vert est une couleur froide qui symbolise l'espoir. C'est le signe du printemps et de la bonté pour les Chinois. Il représente la sève universelle qui donne la naissance et la vie.

En ésotérisme, c'est le symbole de la création spirituelle. L'émeraude est considérée comme la pierre de la chasteté. Le vert rend plus conciliant et compréhensif. Il favorise les amitiés et consolide l'amour. En thérapie, il aide à soigner d'anciennes blessures affectives ou émotionnelles et à apporter la paix intérieure. Le vert transmet la force et l'activité, il aide à lâcher prise et à aller de l'avant avec optimisme.

– En Inde, le vert est la couleur du dieu Ganesha, cousin de l'Hermès grec, rattaché à la sphère de la création.

– Enveloppant, calmant, rafraîchissant, tonifiant, le vert est la couleur des apothicaires et celle de la toge des médecins au Moyen Âge.

– L'emblème de l'éternité et des renaissances, le scarabée égyptien, signifiait, aussi quand il était vert, la régénération nécessaire pour naître à la vie spirituelle.

– Les vêtements sacerdotaux qu'endossent les prêtres chrétiens entre le 3e dimanche après la Pentecôte et l'Avent sont tissés en vert pour rappeler la vie de la Grâce par la résurrection du Fils.

– C'est le symbole des œuvres accomplies pour la régénération de l'âme et, par extension, de la charité.

– C'est aussi la recherche de l'équilibre, un certain accomplissement, l'adaptabilité, la raison, la spiritualité et la droiture.

Le vert clair a beaucoup de similitudes avec le bleu clair. C'est une teinte calmante, modératrice. Elle apporte de la timidité, de la retenue, de la pudeur. Elle incline l'âme à la quiétude. Elle accroît l'amour de la forme et développe le sens artistique. Les états congestifs se trouvent améliorés par les radiations vert clair qui luttent avec efficacité contre les hémorragies. Le vert tendre relâche et détend l'organisme. Cette teinte dispose au sensualisme, fait désirer le bien-être et contribue à sa venue. Elle favorise beaucoup plus la chance, le repos, l'imagination, que l'activité et le travail. Le vert foncé resserre, fixe et contracte. Cette teinte donne des dispositions égoïstes. Elle rend âpre au gain et accroît les appétits matériels. Elle donne de la vitalité et de la virilité. Elle augmente les besoins sensuels. Les vert foncé sont nombreux. Ils calment les nerfs, l'épilepsie, les maladies inflammatoires des reins, des membranes muqueuses et de la plèvre.

ROSE

C'est la plus féminine des couleurs. Elle incite à la tendresse, la douceur, la délicatesse et la volupté. Elle exprime l'amour et le bonheur. Le rose est la couleur de Vénus.

Le rose chasse les pensées négatives ; cette couleur rassurante éveille un désir d'harmonie et de paix. Le rose pousse au laisser-aller et à la recherche des plaisirs sans limite. Le rose est le symbole du savoir alchimique. Il représente la dernière étape dans l'ascension spirituelle.

ROUGE

C'est la couleur de la force, de l'activité et du courage. Symbole du feu, le rouge est la lave, la chaleur, l'incandescence. Les rayons infrarouges procurent une sensation de chaleur. En Inde, c'est la couleur de Shiva, le dieu qui crée le monde, puis le détruit. Chez les Romains, c'est la couleur de Mars, le dieu de la guerre.

Le rouge incite à la colère et entraîne la violence. C'est un signe de la volonté, de la force intérieure. C'est un puissant tonique du système nerveux et un excitant qui pousse à l'activité. Le rythme cardiaque a tendance à s'accélérer dans une pièce rouge. C'est aussi, bien sûr, la couleur de l'amour. Elle est aphrodisiaque.

– Dans l'esprit des iconographes du Moyen Âge, le rouge vif représente l'incandescence, l'activité.

– Pour les Hébreux, le rouge est employé dans une série d'expressions dérivées du mot *dam,* qui signifie «sang». Or, dans la pensée hébraïque, le sang signifie la Vie.

– En Inde, Brahma, le créateur du monde, était représenté en rouge.

– En Grèce, le rouge symbolisait l'amour régénérateur.

– Dans l'art chrétien, le rouge symbolise le Saint-Esprit sous la forme du feu, chargé du pouvoir de régénération et de purification des âmes. Les vêtements rouges portés par le pape le Vendredi Saint rappellent l'Amour du Christ pour l'humanité.

– La couleur rouge du sang et de la flamme représente le combat et Mars, le dieu du combat. Trop vif, le rouge reste le symbole du feu, mais d'un feu ravageur. Il est signe de colère.

– Il exprime la joie, la santé et le triomphe. Pour les ancêtres, il symbolisait la vie.

– C'est aussi la passion, la vitalité, l'enthousiasme, l'imagination, l'inspiration, la recherche de la perfection, l'amour et un certain équilibre.

VIOLET

En partant du pourpre, qui est presque rouge, le violet montre une gamme infinie de tons, tantôt modérateurs quand le bleu domine, ou excitants quand le rouge domine. Le violet favorise la parole, corrige ou atténue le bégaiement et combat l'anémie. Cette teinte donne de l'enthousiasme et de la joie de vivre, mais, comme le vert, elle augmente la vigueur des appétits et souvent l'égoïsme. C'est une teinte propice aux efforts intellectuels. Elle favorise l'ambition. Les radiations désintoxiquent et nettoient l'organisme.

Mélange subtil de rouge et de bleu, le violet symbolise la pureté, la spiritualité, le mysticisme, l'introspection, la méditation. C'est la couleur associée aux Poissons.

Le violet évoque le deuil, la mélancolie et la solitude. Ceux qui aiment cette couleur sont attirés par le mystère, l'insolite, et ils se complaisent dans la solitude et le rêve. Ce sont souvent des personnes qui sont plus attachées aux valeurs spirituelles qu'à celles matérielles, et qui peuvent paraître, à tort, hautaines, alors que c'est uniquement parce qu'elles sont ailleurs. Celles, par contre, qui n'aiment pas le violet sont souvent attachées aux biens matériels, elles sont méfiantes et craignent d'être abusées.

Les vertus curatives du violet sont nombreuses. Cette couleur a une forte action sur l'émotivité et peut ainsi aider à combattre toutes les émotions violentes, les phobies, les angoisses, la colère, etc. Le violet aide à trouver l'harmonie entre la pensée et l'action.

– Le violet était la marque du deuil à la cour de France et c'était aussi la couleur des draps posés sur le cercueil lors des cérémonies mortuaires.

– Symbole de spiritualité dans le christianisme, le violet signifie le mariage en Jésus-Christ de l'Homme avec l'Esprit céleste. Le Vendredi Saint, le chœur des églises est drapé de violet. Sur les monuments symboliques du Moyen Âge, Jésus-Christ porte la robe violette pendant la Passion, signifiant qu'il a totalement assumé son incarnation et que, par son sacrifice, le Fils de l'homme réintègre l'Esprit céleste, impérissable.

– L'utilisation du violet pour désigner l'autorité est passée dans l'Église chrétienne, car c'est la couleur portée par les évêques.

– C'est aussi le mysticisme, l'autonomie, l'union des contraires, la communication et la retenue, l'équilibre, l'espoir, l'intégrité, la croissance, la paix, la force de volonté d'ensemble, l'esthétisme et le communautaire.

Le mauve développe les qualités expansives, sans exagération. La bonté est sans faiblesse et l'indulgence n'est pas veulerie.

GRIS

Cette teinte va du noir au blanc en prenant des tons divers. Le gris clair développe les qualités passives physiques et intellectuelles comme l'inertie, le farniente, la mémoire, l'intuition et l'imagination. C'est une teinte reposante qui facilite le recueillement et met à l'abri des indiscrets et des curieux. Elle protège contre les risques d'accidents et de blessures. Le gris foncé se rapproche du noir. Cette teinte a tendance à stabiliser, à fixer, à contracter. Elle dispose à la respectabilité et à l'austérité, à la patience, à la méthode et à la fidélité. Elle ralentit toutes les fonctions et peut être un élément de durée et de longévité.

NOIR

C'est une couleur lourde et sèche qui exclut l'illusion. Le noir absorbe toutes les autres couleurs. Symbole d'austérité et de rigueur, il représente la nuit, les ténèbres et la mort. C'est une couleur froide qui ramène toujours à la réalité.

Les personnes habillées de noir suggèrent la stabilité et ce qu'elles disent semble avoir plus de poids. Elles sont plus convaincantes et incitent à la crainte et au respect. Elles craignent moins la souffrance et la trouvent parfois nécessaire pour exprimer leur culpabilité. Le noir pousse à l'isolement et parfois à la paranoïa. Les pierres noires, comme l'onyx, apportent une protection contre les énergies négatives.

Le noir fixe les choses et les pensées. C'est un facteur de durée et de constance, de prudence et de sagesse.

– Représentant le monde souterrain, le noir correspond au ventre de la terre, où s'opère la régénération du monde.

– Souvent symbole d'obscurité et d'impureté, il devient alors celui de la non-manifestation et de la virginité primordiale. Obscurité des origines, il précède la création dans toutes les religions.

– Tout comme l'hiver appelle le printemps, le noir évoque la promesse d'une vie renouvelée.

– C'est l'antithèse du blanc. Couleur du deuil en Occident, le noir est, à l'origine, le symbole de la fécondité, couleur des déesses de la fertilité et des vierges noires.

OR

L'or peut être employé dans les affections de la lymphe quand le tempérament est froid et humide. Il est également indiqué dans les maladies du foie, les troubles venant de la bile. C'est un calmant sexuel. Il arrête les dispositions frénétiques.

– L'or exprime la connaissance. On parle aussi de l'âge d'or, qui constitue la perfection. Dans l'alchimie, on transmute le plomb en or, symbolisant la transformation de l'humain en divin par la conscience de Dieu.

– L'or est le métal des rois et des empereurs, non seulement en Occident, mais dans tout le reste du monde. Il évoque le Soleil et toute sa symbolique : fécondité, richesse, domination, rayonnement ; centre de chaleur, amour, don ; foyer de lumière et de connaissance.

– L'or représente la lumière solaire en tant que symbole de la lumière manifestée. Les icônes du Bouddha sont dorées, signe de l'éveil et de l'absolue perfection.

COMMENT CRÉER UN MANDALA

Création.
Mandala incluant des cercles, carrés, triangles, étoiles, losanges
avec des couleurs de différents tons de bleu, rose, violet.

Chacun doit laisser aller son imagination lors de la création d'un mandala. Il faut exprimer son ressenti, sans essayer de comprendre. Le résultat est parfois très surprenant. Le mandala ci-dessus n'est donné qu'à titre de modèle de création.

Celui-ci est fait de cercles, carrés, triangles, fleurs de lotus, étoiles.

Le mandala est le symbole de l'homme et la femme dans le monde, un support de méditation.

Le mandala est souvent dessiné en forme de temple avec quatre portes aux quatre coins de la Terre.

Le mandala montré ici est offert en relation avec le bouddha Sri Skanda qui symbolise la paix, la quiétude et le réconfort.

Dans le centre, est une fleur de lotus avec huit pétales et une étoile au milieu.

Quatre pointes se dressent au milieu de chaque côté représentant les quatre points cardinaux.

Les quatre portes des coins sont gardées par quatre serpents venimeux.

Ceci illustre que la personne qui vient pour méditer au centre de l'étoile, doit passer les quatre portes, purifier son esprit et acquérir la sagesse de l'âme, atteindre la chambre du vajra, les huit tombeaux figuratifs, la chambre de la fleur de lotus et la chambre de l'étoile.

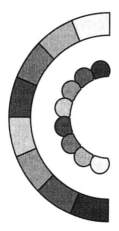

Il y a ici deux cercles qui symbolisent la lumière que la personne peut atteindre avant d'entrer dans le temple de lumière :

- le feu de la sagesse : le cercle extérieur purifie le feu ;

- le cercle du vajra : le diamant exprime la puissance et la témérité ;

- les tombeaux : les huit tombeaux symbolisent les huit états de conscience que tout humain doit traverser ;

- le lotus : exprime l'état de dévotion qui est nécessaire pour entrer dans le temple.

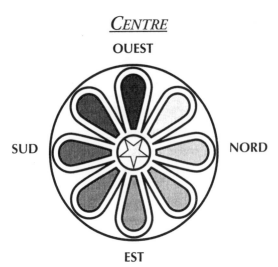

CENTRE
OUEST

SUD   NORD

EST

Le symbole de Bouddha vit dans le centre, entouré de huit bouddhas pour la méditation (représentés ici par les huit pétales de la fleur de lotus), à qui on donne une orientation cardinale, en commençant par l'ouest (à midi) et on poursuit selon les aiguilles d'une montre, nord-ouest, nord, et nord-est à droite ; l'est (à 6 h 00), et finalement sud-est, sud, sud-ouest à gauche.

On remarquera les quatre pétales roses qui illustrent les portes des quatre points cardinaux et le vajra au centre qui symbolise la lumière de Bouddha.

Chaque point cardinal est associé à un bouddha, une couleur, un élément et un moyen de transport, ainsi :

POINT BOUDDHA COULEUR ÉLÉMENT TRANSPORT
centre : Vairocana blanc ether lion
ouest : Amitabha rouge feu paon
est : Aksobhya bleu eau éléphant
sud : Ratnasambhava jaune terre cheval
nord : Amoghasiddhi vert air oiseau mystique

Les autres points sont associés à des bouddhas femelles :

POINT BOUDDHA SURNOM
sud-ouest : Mamaki l'étrange
nord-ouest : Pandaravasini la femme en blanc
sud-est : Locana l'œil de bouddha
nord-est : Tara la salvatrice.

MANDALAS POUR ENFANTS

De nos jours, les enfants ne passent pas assez de temps à dessiner, colorier ou imaginer des personnages, comme le faisaient les enfants il n'y a pas si longtemps. Aujourd'hui, à peine savent-ils marcher qu'ils restent des heures à regarder la télévision et ainsi perdent toutes les opportunités qui s'offrent à eux dans la création.

Pourtant, c'est si simple pour vous, parents, d'aider vos enfants dans l'apprentissage de la vie, par la couleur et le dessin. Vous ne devez leur acheter que des crayons de couleur, du papier, de la peinture et un compas pour les plus grands. Dessinez et colorez avec vos enfants. Laissez voguer leur fantaisie, permettez-leur de rêver, d'imaginer, de créer. Vous pouvez commencer dès maintenant en leur offrant les mandalas suivants, qui sont une création de Marie Pré.

Récréation.
Mandala symbolisant le jeu chez les enfants inclus dans des carrés avec couleurs pastel.

Il est extrêmement important, lors d'un suivi thérapeutique avec un enfant ou un adolescent, de lui donner des mandalas à colorier. On peut lui demander de faire des dessins de lui-même ou de colorer certains mandalas que vous lui fournirez. Voici ici quelques modèles qui ont été faits par des enfants et qui ont été gracieusement fournis par Marie Pré.

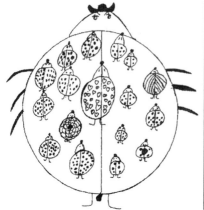

La coccinelle.
Mandala symbolisant une coccinelle.
Il présente des cercles et demi-cercles,
il est face au nord, avance dans la vie.

Le manège.
Mandala symbolisant un manège.
L'image du cercle, de la croix ; le
manège tourne sur son essieu.

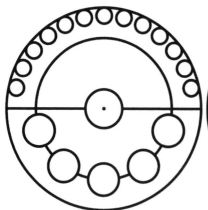

Ribambelle.
Mandala symbolisant le chapelet.
La vie s'égrène comme les grains
qu'on compte un à un.

La Mer.
Mandala symbolisant la joie et la
mer. Source de chaleur et de bien-
être.

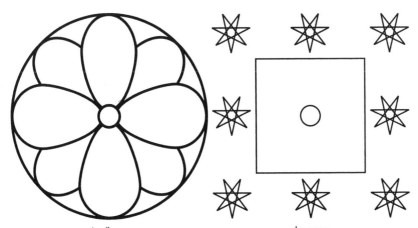

La fleur.
Mandala exprimant la nouveauté par des cercles.

La cour.
Mandala montrant une cour carrée remplie d'étoiles.

Le soleil.
Mandala respirant la joie et le bonheur.

Le tunnel.
Mandala symbolisant le tunnel de la vie. Au loin, le cercle ou le jour.

ATELIERS DE MANDALAS

Des ateliers de mandalas peuvent être organisés avec des grands ou des petits. Cette activité pratiquée régulièrement améliore grandement le rendement intellectuel et la concentration, ainsi que l'équilibre. Elle favorise un recentrage de la personne.

Créer un mandala est un peu un miroir de l'être. C'est une aventure personnelle d'une toute petite envergure, qui interdit tout jugement de valeur et se révèle dynamisante, stimulant le désir de créer et de se mieux connaître. Il faut distinguer les différentes étapes :

— le coloriage comme outil de recentrage et de pédagogie ;

— la création pour le plaisir et la découverte de ses potentialités créatrices ;

— la création comme travail sur soi ;

— la contemplation ou l'exécution d'un mandala traditionnel comme un moyen d'entrer en résonance avec une culture ou une tradition et d'explorer les zones inconnues de votre âme profonde.

Labyrinthe.

53

PETITE HISTOIRE
DES MANDALAS

Le mandala signifie littéralement « cercle », mais il désigne plus largement un objet support à la méditation et à la concentration, composé de cercles et de formes diverses.

Dessiné, coloré ou peint sur du papier, une toile ou du sable coloré, le mandala constitue aussi un motif architectural. Sorte de cercle sacré, il reflète la structure concentrique de l'univers et contient la représentation des divinités bouddhiques. Il est associé à des exercices de visualisation au cours desquels on cherche à créer des images mentales de Bouddha et des bodhisattva. Le mandala conduit ainsi l'aspirant sur le chemin de l'éveil, car il lui sert de support. Il est une représentation pure de la nature profonde humaine.

Le mandala existait déjà dans la tradition chrétienne, mais il n'avait pas encore ce nom. Il en est de même pour certaines représentations des Indiens d'Amérique du Nord, les Navajos.

En tant qu'objets de méditation, les représentants des mandalas portent, en Inde, le nom de Yantras. Ils sont, en général, formés de triangles, de carrés et de cercles imbriqués les uns dans les autres, qui véhiculent des contenus conscients à la signification connue et qui interpellent directement les structures psychiques inconscientes.

Les mandalas sont des reproductions spirituelles de l'ordre du monde et on les associe souvent, dans ce sens, aux quatre points cardinaux. Lorsqu'on regarde un mandala, c'est tout de suite le centre qui attire, car le plus important, comme pour la reproduction d'un labyrinthe.

Le labyrinthe symbolise dans un espace restreint le long et difficile chemin de l'initiation. D'une façon générale, il représente le voyage psychique et spirituel que l'homme doit accomplir à l'intérieur de lui-même, à travers les épreuves et tous les motifs d'égarement, afin de trouver son propre centre, sa propre image intérieure, et faire en sorte que cela soit à la fois la plénitude et le vide.

Selon C. G. Jung (1875-1961), le mandala a pour fonction d'attirer intuitivement l'attention sur certains éléments spirituels, par la contemplation et la concentration, afin de favoriser leur intégration consciente dans la personnalité.

Jung avait relevé que l'inconscient, dans ses périodes de trouble, peut produire spontanément des mandalas. Pour lui, le mandala symbolise, après la traversée de phases chaotiques, la descente et le mouvement de la psyché vers le noyau spirituel de l'être, vers le soi, aboutissant à la réconciliation intérieure et à une nouvelle intégrité de l'être.

L'essentiel est que le mandala opère. La création est souvent facile. C'est un peu comme l'écrivain qui prend un crayon et une feuille et qui commence à écrire des pages et des pages, sans même en avoir conscience. Pour la création de mandala, c'est la même chose. En prenant un crayon et un papier, ajoutez un brin de concentration, faites abstraction de l'entourage, laissez aller votre esprit et vous avez devant vous un magnifique mandala qu'il ne vous reste plus qu'à colorer selon vos désirs.

L'homme et l'Univers.

MANDALAS EN SABLE

Architecture complexe aux multi-couleurs éclatantes, un mandala se présente comme un tableau réalisé en trois dimensions. La représentation avec du sable est magnifique et ajoute un sens ésotérique encore plus fort que sur papier. On prend alors du sable coloré déposé sur un plateau de bois carré, posé à l'horizontale.

Sa réalisation, confiée habituellement à des moines qualifiés peut prendre de nombreuses années d'apprentissage et de pratique. Elle nécessite plusieurs jours ou semaines selon la multiplicité des détails, d'un travail minutieux, exempt de toute improvisation ou initiative artistiques.

En tibétain, mandala se traduit par *kyilkhor* et signifie «centre et périphérique». Diagramme symbolisant l'ensemble d'une forme de l'esprit, il est réalisé lors de certaines initiations ou cérémonies, comme support de méditation ou de visualisation collective. Il est habituellement dédié à une divinité principale qui en occupe le centre (*kyil*), lequel s'inscrit dans trois cercles (*khor*) détaillant ses différents champs d'activité.

À l'extérieur, le premier, de feu, exerce un rôle protecteur, le second, composé de foudre-diamant (*dordjé*), représente un objet rituel symbolique de l'éveil, a pour signification l'indestructibilité de l'esprit, le troisième, encore intérieur, constitué de lotus, symbolise la pureté.

La visualisation permet au pratiquant de pénétrer dans le temple de la divinité ouvert par quatre portes, aux quatre points cardinaux, de s'identifier et de se fondre en elle.

Le mandala pourrait se présenter comme une mise en scène du tout : le cosmos, le corps, la conscience, la parole, l'esprit permettant à l'aspirant d'entrer dans cet univers en percevant la nature réelle, la vacuité, le vide, absence d'existence propre, impliquant l'absence de temps et de lieu. Cette notion de vacuité ne peut être assimilée en aucun cas au néant, car elle n'exclut ni conscience, ni manifestation.

C.G. Jung manifesta un intérêt particulier pour ces mandalas mettant en évidence la notion d'archétypes, images anciennes qui appartiennent à l'humanité et qui expriment l'inconscient collectif.

Une fois achevé, le mandala, ce chef-d'œuvre magnifique où chaque grain de sable avait sa place, disparaît. Lors d'une cérémonie, le sable délicatement balayé est déposé dans une urne, dispersé dans l'eau d'une rivière ou d'un fleuve. Il n'était en fait qu'un symbole d'impermanence, l'aspect transitoire de toute forme de réalité propre. Il montre finalement que la réalité n'est qu'apparence et n'a pas d'existence en soi. Que la soif de possession humaine et de conservation de ce qui fut n'est qu'illusion.

NUMÉROLOGIE ET MANDALAS

LA SIGNIFICATION DES CHIFFRES DANS LES MANDALAS

1 Il symbolise
- l'individu, le pionnier
- l'unité, la création, la volonté
- la totalité, le commencement, le dynamisme et l'activité.

2 Il symbolise
- la matière, l'imagination
- l'opposition, l'intuition
- le doute, la sensibilité, l'émotion
- le conflit, la diplomatie.

3 Il symbolise
- la vitalité, la joie de vivre
- l'énergie, l'ambition
- le mouvement, la générosité.

4 Il symbolise
- l'équilibre, l'organisation
- l'énergie, la solidité
- l'approfondissement des connaissances, la persévérance.

5 Il symbolise
- la santé, le changement
- l'énergie, l'activité mentale
- l'aventure, la liberté.

6 Il symbolise
- la créativité, l'harmonie, les responsabilités
- la perfection, l'idéalisme
- la satisfaction, l'amour, la conciliation, la douceur.

7   Il symbolise   → la transformation, la recherche
                                        → le secret, la solitude, la mélancolie
                                        → la découverte de soi.

8   Il symbolise   → l'harmonie, la fidélité
                                        → l'éternel changement, la lutte
                                        → le courage, l'orgueil.

9   Il symbolise   → la vérité, l'idéalisme, l'altruisme
                                        → l'énergie positive dans le corps
                                        → la loyauté, la fidélité.

10   Il symbolise   → la perfection, la jovialité, la gaieté,
                                        → le sens de la réalité, le mouvement
                                        → la débrouillardise, l'audace.

11   Il symbolise   → le conflit, la force, la domination
                                        → la mort et la renaissance
                                        → l'ambition, la vaillance.

12   Il symbolise   → l'achèvement
                                        → les épreuves, les désillusions
                                        → le sacrifice, la fatalité.

13   Il symbolise   → la transmutation, la décision
                                        → le changement radical
                                        → le recommencement.

14   Il symbolise   → l'accommodement, l'adaptation
                                        → la communication
                                        → le renouvellement.

15 Il symbolise → l'intensité, la passion
→ les réactions instinctives
→ le magnétisme.

16 Il symbolise → la fierté, l'amour-propre
→ le défi, la détermination
→ l'arrogance.

17 Il symbolise → l'idéal, l'amitié
→ la sensibilité, la douceur
→ l'espérance.

18 Il symbolise → la famille, la tradition, le passé
→ la création
→ la rétrospection.

19 Il symbolise → l'émotion, la paix
→ l'harmonisation, la vie
→ le courage, la noblesse d'âme.

20 Il symbolise → l'inspiration, la spontanéité
→ l'amour du public
→ les relations sociales.

21 Il symbolise → l'harmonie
→ la réussite
→ l'aboutissement du succès.

22 Il symbolise → la force exceptionnelle, les imprudences
→ la concrétisation des idées
→ le désarroi, les épreuves.

LE MANDALA DES
CINQ DIVINITÉS TANTRIQUES

Il existe trois sortes de mandalas : les mandalas extérieurs, les mandalas intérieurs et les mandalas secrets.

1. LE MANDALA EXTÉRIEUR

Il désigne l'univers entier, le macrocosme qui, selon la typographie traditionnelle bouddhiste, est constitué :
– du Mont Mérou, la montagne qui forme le centre de l'univers ;
– de sept remparts de montagnes quadrangulaires séparées par des océans ;
– des quatre continents principaux situés dans les quatre directions cardinales, et chacun flanqué de deux subcontinents satellites ;
– l'ensemble est encerclé par la muraille de montagnes de fer.

Cet univers est composé de 5 éléments extérieurs : la terre, l'eau, le feu, le vent et l'espace. Lorsque ces éléments sont en déséquilibre, il se produit des troubles dans l'univers naturel.

Construire un mandala a pour fonction de ré-équilibrer ces cinq éléments, ce qui a pour conséquence d'amener la paix et le bien-être dans le monde extérieur.

2. LE MANDALA INTÉRIEUR

Le mandala intérieur est le corps humain. Il est lui aussi composé des cinq éléments. Les déséquilibres de ces éléments sont la cause des maladies physiques.

Construire un mandala a pour fonction de réorganiser cet équilibre des éléments du corps et donc d'apporter la santé, le bien-être et la force physique, l'énergie et la longue vie.

3. LE MANDALA SECRET

Il est constitué par la structure subtile du corps ; les cinq chakhras sont les cinq carrefours d'énergie du corps.

Au centre de chacun de ces cinq chakhras résident respectivement les cinq divinités : Gouyasamadja, Mahamaya, Hévajra, Chakra-Samvara, Yamantaka.

Les cinq divinités sont indifférenciées de la nature de l'esprit. Celui-ci a la nature des cinq sagesses :
- la sagesse de la sphère ultime ;
- la sagesse du discernement ;
- la sagesse semblable au miroir ;
- la sagesse de l'équanimité ;
- la sagesse tout accomplissante.

Ces cinq sagesses sont personnifiées par les cinq divinités du mandala ou par les cinq Dhyani-Bouddhas.

Construire un mandala a pour fonction de purifier les cinq chakhras, développer leur énergie et réaliser les cinq sagesses. Cela permet de pouvoir atteindre l'état d'éveil.

Tout est interconnecté, le microcosme est relié au macrocosme et vice versa. Ainsi, l'esprit a pour demeure le corps, qui a pour demeure l'univers. L'esprit influence le corps, qui influence l'esprit. Le corps influence l'univers, qui influence le corps.

Construire un mandala harmonise les énergies de l'univers, du corps et de l'esprit. Cette harmonie est source de paix et de bonheur.

Dans le but d'atteindre l'éveil et de développer une bonne énergie à tous les niveaux de l'être humain, de très nombreuses méthodes sont enseignées dans les Tantras. Parmi ces méthodes variées, la construction du mandala des cinq divinités tantriques est complète.

Un mandala peut être représenté de trois façons.

En trois dimensions, ils sont des configurations tridimensionnelles des palais purs dans lesquels se tiennent les divinités. On les nomme « palais incommensurables » parce qu'ils symbolisent les qualités infinies de l'état de Bouddha. On trouve un exemple au troisième étage du temple de KagYuling. Ce palais a été construit par le sculpteur bouthanais Péma Lhundroup.

Dessinés et peints, ils sont représentés dans les tangkas qui décorent les murs du temple. Elles sont un support utilisé par les méditants pour rendre claire et vive leur contemplation. Ces tangkas ont été peintes par l'artiste bouthanais Karma Yéshé.

Les deux premiers types de mandalas tridimensionnels et les mandalas peints sont permanents.

Le troisième type de mandala, lui, est provisoire. Ce sont les mandalas de poudre colorée. Cette poudre est faite de sable fin coloré. Elle est placée sur le mandala à l'aide d'un instrument cranté appelé «doum», que manient délicatement les artistes lamas, dont l'esprit reste concentré dans l'état méditatif, assis autour du mandala.

La construction du mandala en poudre correspond à la méditation de la phase de développement. Celle-ci consiste à créer mentalement la ou les divinités ainsi que son entourage et son environnement. Méditer ainsi sacralise le lieu et la situation présents. Ensuite, le mandala sera défait, car ce mandala est provisoire. Les poudres seront rassemblées. Cela correspond à la phase de résorption. Tout ce qui a été créé mentalement auparavant, est ramené à sa nature fondamentale, qui est incréée et indéfinissable. On la nomme vacuité ou claire lumière.

Lorsque ces méditations des deux phases (développement et achèvement) sont accomplies, les poudres peuvent être offertes dans le feu en tant qu'offrande paisible.

Il y a différentes sortes d'offrande faites dans le feu, selon les substances offertes.

L'offrande peut être :
• une activité paisible,
• une activité épanouissante,
• une activité dominatrice,
• ou une activité violente.

L'offrande paisible a pour but d'amener et d'accroître la paix dans le monde. Une partie des cendres recueillies après la crémation est jetée dans une rivière. Les cendres porteuses de paix et de bonheur sont emportées par la rivière jusqu'à l'océan, propageant leurs bienfaits dans le monde entier, pour toute l'humanité et tous les êtres, quels qu'ils soient. Une autre partie est donnée en tant que reliques, support de bénédictions, à tous les bienfaiteurs et sympathisants ayant apporté leur aide et leur offrande pour la construction du mandala. Ils pourront placer ces reliques dans leur maison ou sur leur autel, et bénéficieront ainsi de l'énergie protectrice et de l'influence spirituelle qui en émanent.

LE MANDALA DU BOUDDHA DE MÉDECINE

Peinture éphémère de sables colorés (2 m sur 2 m) réalisée par les Lamas de la congrégation Dashang KagYu Ling

Le mandala d'une divinité représente le paradis d'un être purifié et épanoui avec son entourage. Ici, le Bouddha de médecine (Sangyé Menla, en tibétain), de la couleur du lapis-lazuli. Ce bouddha est une émanation du bouddha historique Shakyamouni, apparue pour enseigner comment traiter les maladies des êtres et leurs causes (les émotions) et pour qu'ils bénéficient d'une longue vie.

Son paradis a pour nom *Ta-Na-Doug* («qui apporte la joie quand on le regarde»). Il comprend un palais de pierres précieuses avec des jardins de plantes médicinales, des fleurs splendides et des fruits abondants, des sources miraculeuses où coule le nectar.

Les cinq directions (centre, est, sud, ouest, nord) correspondent aux cinq couleurs (bleu, jaune, blanc, rouge, vert) et aux cinq éléments (terre, eau, feu, air, espace) qui composent aussi bien le corps des êtres que la nature de l'univers. S'ils sont en déséquilibre, il se produit des troubles : maladies physiques, catastrophes naturelles…

Ce mandala représente donc à la fois le corps, l'esprit et l'univers. Sa construction a pour fonction de ré-équilibrer les cinq éléments et d'apporter ainsi une meilleure santé aux êtres et la paix dans le monde.

Le «Bouddha Maître de médecine à l'éclat de béryl» (Bhaishajyaguru) est l'un des personnages très populaires du panthéon du bouddhisme du Grand Véhicule, qui s'est développé dans l'Himalaya et l'Extrême-Orient.

Selon les textes sacrés, il demeure actuellement dans sa Terre Pure située à l'est de notre univers, où les êtres peuvent aller renaître, après leur mort, s'ils ont récité son nom, construit son image ou recopié les textes qui lui sont consacrés.

Le Bouddha de Médecine exemplifie l'une des dimensions du Bouddha «historique» Shâkyamuni, considéré comme le médecin de la souffrance universelle.

Mais son succès dans toute l'Asie orientale s'explique aussi par les bienfaits concrets que son culte fournit, conformément aux douze vœux qu'il prononça avant de devenir bouddha :

Puisse mon corps rayonner de lumière, en éclairant d'innombrables univers, et que tous les êtres me soient semblables !

Que ma lumière soit de la couleur du béryl, surpassant le soleil et la lune, et qu'elle montre le chemin aux êtres plongés dans les ténèbres !

Que, par ma sagesse et mes artifices, tous les êtres soient pourvus du nécessaire !

Que tous les êtres qui n'y sont pas encore soient établis dans le Grand Véhicule !

Puissent tous ceux qui ont violé le code de bonne conduite y être restaurés à l'audition de mon nom !

Puissent le corps ou l'esprit de ceux qui sont affligés d'infirmités être guéris à l'audition de mon nom !

Puissent tous ceux qui sont malades être guéris à l'audition de mon nom !

Puissent les femmes qui désirent abandonner leur condition féminine obtenir un corps masculin à l'audition de mon nom !

Que les êtres soient délivrés du filet du démon Mâra et qu'ils obtiennent la vue correcte !

Puissent tous ceux qui sont condamnés par la loi séculière être amnistiés grâce à mes mérites !

Puissent tous ceux qui souffrent de la faim et de la soif être rassasiés !

Puissent tous ceux qui manquent de vêtements en être pourvus de merveilleux !

(Bhaishajyaguru sûtra.)

LA TRADITION MONDIALE ET LE MANDALA

Les symboles aident les croyants à comprendre et à approfondir leur foi. Comme les mythes, ils s'adressent à la fois à l'intelligence et à l'affectif du fidèle. Ils intègrent aussi les dimensions sociales et personnelles de la religion. On vit toute la vie dans un monde de symboles. Un symbole est lié à ce qu'il signifie, il participe de la réalité qu'il symbolise, c'est pourquoi il n'est pas facile de le remplacer par un autre symbole.

Les mandalas sont originaires de l'Asie (Tibet, Népal et Inde). Ce sont des dessins inscrits dans une figure géométrique (souvent ronde). Les mandalas sont des représentations symboliques de l'être ou de l'univers. Ils sont rattachés à la religion bouddhiste et servent de support à la méditation. Les mandalas sont constitués d'une construction codée de dessins et de couleurs. Les dessins peuvent être des formes géométriques ou inclure des lettres, des représentations d'animaux, de monstres ou de dieux.

Les mandalas sont des reproductions spirituelles de l'ordre du monde (cosmogrammes), et on les associe souvent, dans ce sens, aux quatre points cardinaux.

Il a été noté que, sans en avoir le nom, le mandala existait dans la tradition chrétienne, de même que dans certaines représentations des Indiens d'Amérique du Nord. Les mandalas sont également présents, comme il se doit, dans la religion bouddhiste ainsi que dans les représentations de certaines tribus d'Afrique. On verra donc comment chaque mandala se concrétise dans ces différents courants de pensée et comment ils ont évolué au cours des ans.

LA TRADITION CHRÉTIENNE

Mandala signifie cercle, et spécialement cercle magique. Les mandalas ne sont pas seulement répandus à travers tout l'Orient, mais ils sont en outre abondamment représentés chez nous dans des œuvres médiévales.

Ce sont, en particulier, des mandalas chrétiens qu'il faut attribuer au haut Moyen Âge. La plupart représentent le Christ au centre avec les quatre évangélistes ou leurs symboles aux points cardinaux. Il est tout à fait évident qu'il s'agit là d'un système psychocosmique (représentation du monde sensible) fortement teinté de christianisme. Il est dénommé l'«œil philosophique» ou le «miroir de la sagesse», ce qui signifie manifestement une somme de savoir secret. On rencontre, la plupart du temps, une forme de fleur, de croix ou de roue, avec une prédilection marquée pour le nombre quatre (le nombre fondamental).

L'iconographie chrétienne représente le plus souvent l'auréole (*nimbus*) sous la forme d'un cercle, de même que la création divine originelle est figurée par des cercles concentriques, dont le «cercle de la Terre» à l'intérieur duquel Dieu n'a placé l'homme que tardivement.

Il en va de même pour les représentations de la Trinité que l'on figure par trois cercles qui s'interpénètrent.

Pour Jung et son école, les rosaces des cathédrales représentent «le soi de l'homme transposé sur le plan cosmique». C'est «l'unité dans la totalité» et cet auteur, considérant la rosace comme un autre mandala, ajoute que «nous pouvons considérer comme des mandalas les auréoles du Christ et des Saints dans les tableaux religieux». On rejoint ici le symbolisme du centre cosmique et du centre mystique, illustrés par le moyeu.

Le mandala existe aussi dans la tradition chrétienne ; c'est la représentation de l'image du Christ entourée d'un cercle et inscrite dans un carré dont les symboles des quatre évangiles – le lion (saint Marc), le taureau (saint Luc), l'aigle (saint Jean), et l'homme (saint Matthieu) – occupent les coins. Le cercle symbolisait le règne du Christ sur le monde. L'image du Christ au centre des rosaces des cathédrales médiévales est le symbole du rôle dominant joué par le Sauveur dans les intentions de Dieu. Ces rosaces rappellent, par leur structure, les images de méditation indienne, les mandalas, dont le rôle est de faciliter la concentration de la personnalité autour du noyau de l'âme, inconscient et divin. Par ces représentations, le temple devient comme le cœur figuré de l'univers, l'ordre cosmique, d'où irradie la lumière du dieu qu'on y honore. La ville a très vite abandonné son rôle d'image du mandala céleste pour devenir elle-même un mandala ou son équivalent, et symboliser ainsi le centre du monde vivant.

Dans la tradition chrétienne, on trouvait également le symbolisme du carré car, en raison de sa forme égale des quatre côtés, il représente le cosmos ; ses quatre piliers d'angle désignent les quatre éléments. Les corps carrés, dira Denys le Chartreux, ne sont pas destinés à la rotation comme les corps sphériques. Par ailleurs, le carré présente un caractère stable. La forme quadrangulaire est adoptée pour délimiter de nombreuses places, telle la place publique d'Athènes. Des villes carrées sont bâties au Moyen Âge et le temple du Graal est carré. C'est toute une spiritualité qui s'inscrit en symbole dans ces formes carrées de la stabilité, d'une stabilité à intérioriser. Le carré devient comme le signe d'une volonté de domination des forces du monde par les hommes.

Les hommes ne veulent plus subir les manifestations du monde, ils considèrent le monde avec un nouveau regard : celui de la domination. En remplaçant progressivement le symbolisme du rond par celui du carré, l'homme montre sa volonté de comprendre les événements de la nature. Le carré symbolise ainsi sa détermination car il représente le monde terrestre, l'humain, mais surtout le matériel. L'homme, avec le développement des sciences et sa pensée rationnelle, considère le monde comme un espace stable et explicable. C'est ainsi que l'homme chrétien remplace progressivement sa vision d'un monde sensible inexplicable et en perpétuel mouvement par une vision stable et dominatrice du monde. L'homme veut expliquer tous les éléments constitutifs de la nature et perd ainsi l'aspect mystérieux des événements cosmiques. L'homme ne subit plus l'évolution du monde, c'est lui qui agit sur le monde pour le modifier. Les sciences ont développé une volonté de maîtrise des éléments naturels et du monde.

TRADITION DES INDIENS D'AMÉRIQUE

La tradition chrétienne n'est pas la seule à avoir développé une conception du monde sous la forme d'un mandala. Les Indiens d'Amérique du Nord ont expliqué la formation de l'univers par un principe circulaire. Bien que les Amérindiens n'appellent pas leur conception du monde un mandala, leur vision se rapproche énormément de cette pensée développée, en premier, dans la tradition bouddhiste.

De la naissance à la mort, le peuple navajo suit un chemin tortueux qui lui a été tracé par les êtres surnaturels du Peuple Saint. Ce chemin est à la fois périlleux et gratifiant: s'en écarter, de quelque manière que ce soit, déclenche la colère des dieux, mais s'y tenir assure l'harmonie personnelle avec l'univers et les forces surnaturelles. Le site naturel joue un rôle très important car les quatre montagnes sacrées marquent ainsi les points cardinaux du territoire navajo. Les populations tribales d'Amérique du Nord proclament l'Unique Grand Esprit. Leur pensée et leur action sont régies par le cercle, figure fondamentale dans la nature: c'est la forme de la Lune et du Soleil, des étoiles qui tournent au-dessus d'eux; il évoque la rotation des saisons, le comportement périodique des oiseaux et des animaux. «Toute chose tend vers la rondeur.» La forme circulaire apparaît dans tout ce qu'ils font: dans les mythes, les cérémonies, l'art et l'organisation de la communauté. Il n'y a pas de cercle sans centre, à partir duquel il est généré. Il est le symbole du Grand Esprit. Cette conception se retrouve dans les danses autour du feu, du tambour ou du poteau-pilier. Les populations tribales réfléchissent aussi sur la dualité de la vie et de la nature. Les Indiens d'Amérique du Nord la symbolisent par un cercle partagé en deux qui figure, entre autres, sur les boucliers. Dans la nature, les choses se présentent par couples: l'obscurité et la lumière, le froid et le chaud, le mâle et la femelle, le bien et le mal.

Il n'y a pas contradiction, mais complémentarité. Mais les deux sont toujours considérés comme deux aspects de l'unique: le cercle. Ils sont différents, mais se montrent en équilibre, en harmonie, la vertu suprême. Ce n'est pas dans le conflit mais dans la complémentarité que se trouve la satisfaction. Les Indiens d'Amérique du Nord, eux aussi, avaient une vision quadripartite du monde et des puissances qui le gouvernent, vision qu'ils symbolisent par un cercle muni de quatre angles.

Quatre sont les parties du monde: les vents, les saisons, les couleurs, les éléments dont est fait l'univers (terre, air, eau, feu). La vie dans toute sa variété est rassemblée et classée dans cette structure quadripartite. Elle est faite Une (le cercle) à travers «la grande loi du Sacrifice», chaque partie dépend de toutes les autres et contribue à leur accomplissement. Ce concept d'unité dans la diversité et de diversité dans l'unité est fondamental pour parvenir à l'harmonie et à l'équilibre.

Le cercle symbolise, pour différents groupes d'Indiens d'Amérique, l'apparence cosmique du «Grand Esprit», car la trajectoire de la Lune et, du point de vue de l'observateur terrestre, la trajectoire du Soleil et la trajectoire des étoiles, de même que toute forme de croissance naturelle, engendrent des formes circulaires. C'est pourquoi on prend le cercle pour fondement des camps, du hogan et de la dispositions des assemblées.

Le monde n'est pas fait de pièces et de morceaux séparés: comme beaucoup d'autres populations tribales, les Amérindiens sont incapables de concevoir la séparation. Nous sommes intégrés à un tout; cette compréhension est instinctive chez les Navajos. Ils sont attachés à leur pays: loin de se représenter la nature comme une conjonction de forces qui doivent être maîtrisées, ils considèrent qu'ils font partie intégrante du monde naturel et en sont inséparables. Le terme *hozho* («beauté») est le concept qui se trouve au centre de leur vision du monde: la beauté est pour eux une notion tout à la fois éthique et esthétique, qui doit être appréhendée globalement et renvoie à des attributs, telle que l'harmonie. À leurs yeux, ce qui est *hozho* témoigne du juste ordonnancement de la création, et sortir des sentiers de la congruence pour une raison ou une autre équivaut à créer un manque d'harmonie. C'est pourquoi tous les chants cérémoniels navajos sont des cérémonies curatives qui visent à restaurer la beauté: pour ces Indiens, la narration répétée de leurs anciens récits de création sous une forme musicale permet de changer le monde, en le rendant de nouveau harmonieux; assimilant la parole à un acte, ils chantent l'univers afin de lui rendre sa cohérence, son être, sa perfection originelle et primitive. Les Navajos considèrent le monde comme un immense *hogan*. Il se construit autour de trois lourds poteaux: un poteau à l'ouest, un deuxième poteau au nord et un troisième poteau au sud. La porte se situe face à l'est.

Les couleurs jouent également un rôle important dans ce symbolisme circulaire. Le blanc est associé à l'est, à l'aube, au Mont Blanca. Cette couleur est considérée comme du genre féminin. Le bleu, couleur féminine aussi, est associé au zénith et au Mont Taylor. C'est aussi le ton de la turquoise, pierre des dieux et matière des bijoux que les Navajos portent sur eux. Le jaune est associé à l'ouest, au soleil couchant, au Mont San Franscisco, à la fertilité. Il s'allie plutôt au principe masculin. Le noir est associé au nord, à la nuit, au mont Hesperus. C'est une couleur puissante, du genre masculin. Le noir menace et protège à la fois, car il permet de se rendre invisible. Ces couleurs sont liées à la réalisation de mandala lors de cérémonies.

«Vous avez remarqué que tout ce qu'un Indien [d'Amérique] fait est dans un cercle, et c'est parce que le Pouvoir du Monde opère toujours en cercle, et tout essaie d'être rond. Le vent dans sa plus grande puissance tourbillonne. Les oiseaux font leur nid en rond car leur religion est la même que la nôtre. La vie de l'homme est un cercle d'enfance à enfance, et ainsi en est-il de toute chose mise en mouvement par le Pouvoir. Mais les Wasichous (les Caucasiens des USA) nous ont mis dans ces boîtes carrées. Notre pouvoir s'en est allé et nous, nous mourrons.» (*Élan Noir parle,* Le Mail, 1987.)

La grande majorité des Amérindiens ont été gravement affectés dans leur mode de vie et leurs traditions par l'apport culturel et technologique des immigrants européens : la confrontation des deux mondes est allée du génocide à une adaptation soit unilatérale, soit réciproque.

Les Européens qui débarquèrent en Amérique du Nord au cours du XVIᵉ siècle étaient espagnols, français et britanniques. C'est en partant de l'est, des côtes atlantiques, que progressa la pénétration européenne vers l'intérieur du continent.

L'arrivée des «voyageurs» français au Canada et en Louisiane, lors du premier contact historique, n'eut pas, au point de vue culturel, un caractère traumatisant. Les jeunes pionniers français épousèrent fréquemment des femmes indiennes et s'adaptèrent, jusqu'à un certain point, à la culture indienne, dans le port du costume notamment. Cette arrivée ne détruisit pas les fondements de la vie autochtone. La colonisation anglaise de la côte atlantique dans les «treize colonies» primitives des futurs États-Unis fut plus destructrice, car il s'agissait là d'une véritable occupation du territoire, en vue d'y installer une agriculture de subsistance, d'acheter ou de s'approprier par d'autres moyens les terrains de chasse réservés aux familles des colons.

Chaque fois que l'occupation anglaise ou américaine progressait vers l'ouest, au-delà de la barrière temporaire des Monts Alleganys, dans la vallée de l'Ohio, vers le bassin du Mississippi, les Grandes Plaines, les montagnes Rocheuses jusqu'à la Californie et à l'océan Pacifique, une réaction indienne se produisait, avec quelque retard, mais à coup sûr sous la forme de nouveaux cultes de crise répondant à la pression de l'acculturation qui s'exerçait, à tour de rôle, dans chacune de ces régions.

Le déplacement de la frontière vers l'ouest s'effectua de façon extraordinairement rapide. Des mouvements religieux suivirent de façon dramatique et tout à fait précise l'avancée vers l'ouest de la frontière. La réaction culturelle fut retardée dans le sud-ouest aride du semi-désert des indiens Pueblos (peuple en contact géographiquement avec les Navajos).

Néanmoins, même dans ces régions faiblement et tardivement colonisées, l'extermination des grandes hordes de bisons et leur remplacement par du bétail domestique a entraîné la destruction virtuelle et complète de la vie tribale des Indiens, faisant de ceux-ci un groupe minoritaire et, à bien des égards, dépendant.

Les Indiens navajos étaient un peuple nomade qui concevait le monde comme un espace où les forces du monde se révélaient. Les autres peuples indiens de la côte est étaient déjà entrés en contact avec les Européens, qui s'étaient empressés d'imposer leur vision du monde (carré : stabilité et domination).

Ce sont ces peuplades indiennes, puis l'arrivée plus tardive des Européens dans la région des Navajos, qui entraînèrent un choc culturel. L'acculturation progressive et parfois brutale des Navajos se concentre sur cette différence de représentation du monde. Les Navajos n'essayaient pas d'expliquer les forces du monde, ils vivaient en harmonie avec car, étant eux-mêmes nomades, ils se déplaçaient au rythme des saisons, des besoins ou encore en fonction des caprices de la nature. Pour les Indiens d'Amérique du Nord, c'est la nature qui gouverne le monde ; or, les Européens leur ont imposé une vision stable et dominatrice des forces de la nature. L'harmonie des choses était ainsi rompue, car la conception carrée des Européens coupait les Navajos de leurs racines et des fondements de leurs croyances. Ce peuple ne devait pas dévier du chemin tracé par l'Esprit Unique car, autrement, la mort les attendait : la perception européenne a rompu cette harmonie et a fait des Navajos un peuple déchu du Grand Esprit.

La conception de la formation de l'univers en forme de mandala vient de la tradition bouddhiste, qui s'est propagée aussi bien en Orient qu'en Occident.

TRADITION BOUDDHISTE

Le mandala vient, à l'origine, de la pensée bouddhiste, qui s'est développée en Chine pour ensuite se répandre dans les différentes parties orientales, telles que l'Inde, le Tibet ou encore le Népal.

Le mandala est l'expression d'un concept cosmologique qu'énoncent les textes anciens de l'Inde et que l'on traduit sous des aspects variés. Il joue un rôle mystique et rituel dans les religions issues de l'Inde, notamment dans l'hindouisme, le bouddhisme lamaïque tibétain et le bouddhisme ésotérique japonais. Les diverses conceptions plastiques du mandala offrent des points communs. En effet, qu'il soit construit pour des fins provisoires en matériau léger ou bien d'une manière durable, tel un monument architectural, qu'il soit peint sur toile ou qu'il figure en ronde-bosse tel un objet, le mandala est caractérisé par son plan. Celui-ci se présente comme un diagramme géométrique centré autour d'un axe et orienté. Il figure la projection du cosmos sur une surface plane. La conception du mandala se rattache à des notions de cosmologie fort anciennes et largement répandues, qui se sont développées surtout dans les pays influencés par la vieille culture de l'Inde, mais aussi dans le monde chinois. À ces notions se rattachent également des principes de relation entre le microcosme et le macrocosme.

Les mandalas sont des représentations symboliques des forces cosmiques, de forme bi- ou tridimensionnelle ; ils jouent un rôle important dans le bouddhisme tantrique du Tibet. Souvent présentés sur des Thanka (images enroulées et montées sur soie), les mandalas servent essentiellement de support à la méditation et à certaines visualisations. La signification du mandala dans le bouddhisme tibétain correspond, comme l'indique la traduction tibétaine par *dkylkhor* du terme sanscrit original, à l'idée de « centre et périphérie ». Le mandala est interprété comme la réunion par la méditation de nombreux éléments différents. Le chaos et l'inextricable complexité du monde deviennent un dessin au schéma simple et à la hiérarchie naturelle.

Le terme mandala signifie littéralement « cercle », mais il désigne plus largement un objet de méditation et de concentration composé de cercles et de formes diverses, appartenant tant au monde indo-bouddhiste qu'au lamaïsme tibétain ; il constitue une image psychologique qui, servant de support à l'adepte ou au fidèle, l'aide à poursuivre son chemin vers l'illumination.

Le mandala indien Shri-Yantra peut être considéré comme un développement du motif premier, qui symbolise la structure fondamentale de l'organisation du monde.

Les mandalas sont, pour une grande part, dessinés ou peints, mais constituent parfois aussi un motif architectural, et ils apparaissent, dans ce cas, dans les plans de construction des temples, ainsi qu'on peut le voir dans le temple de Borobudur à Java.

Le tantrisme bouddhique du Tibet engendre progressivement un ritualisme à la fois mystique et cosmique. Il utilise les mantra ou dhârani (formules sacrées dont la puissance évoque et invoque les forces surnaturelles), les mudrâ (gestes ritualisés) et les mandalas, diagrammes peints ou plus simplement tracés sur le sol au moyen de riz ou de poudres colorées, car ils ne sont destinés à servir que le temps d'une cérémonie. Nés du vide, les mandalas y retournent. Toutefois, leur confection nécessite une opération complète et minutieuse, car ils représentent les forces constitutives de l'univers, ainsi que les divinités qui y président.

Les mandalas donnent une vision symbolique du monde avec une divinité en position centrale. Comme toutes les autres conceptions du monde, la vision tibétaine du monde se base sur une cosmogonie circulaire. C'est cette vision du monde qui se développe dans les différents principes du monde et que l'on retrouve aussi bien dans la tradition chrétienne ou chez les Navajos en Amérique du Nord.

Malgré les années, la doctrine bouddhiste s'est durablement ancrée dans la culture tibétaine pour devenir la pensée prédominante dans le pays. Elle a résisté pendant longtemps parce que le Tibet est un pays qui a vécu très longtemps enfermé sur lui-même. Cette forme d'autarcie lui a permis de conserver intacts ses principes culturels et religions venus de la Chine ancestrale. C'est cette stabilité des croyances qui a permis la diffusion du principe du mandala dans les différentes contrées du monde, que ce soit en Orient ou en Occident. Chaque peuple a pu garder les préceptes essentiels du tantrisme tibétain, tout en changeant le nom ou en l'adaptant à ses propres croyances.

Cependant, ces mêmes Chinois, qui avaient apporté, il y a de cela plusieurs siècles, une philosophie bien particulière du monde (le mandala), apportent maintenant, de force, une doctrine communiste bien éloignée de la conception circulaire du monde. C'est ainsi que le peuple tibétain assiste impuissant à la destruction de son patrimoine culturel, artistique et religieux depuis l'occupation du pays en 1950 par l'envahisseur chinois.

LES CROYANCES AFRICAINES

Cette étude sur les croyances africaines se rapportant au symbolisme du mandala se situe essentiellement en Afrique noire (partie sud-saharienne du continent).

La plupart des sociétés africaines croient en d'innombrables esprits, mais aussi en une puissance suprême unique, responsable de la création du monde. L'être suprême est le garant de la cohésion du «tissu de relations» entre l'homme et son environnement.

L'homme est en position centrale au sein du cosmos. Les mythes utilisent les éléments dont chaque peuple dispose ou que tous possèdent : la terre, le ciel, l'eau et le feu, c'est-à-dire le monde sensible. L'espace délimité par les mouvements «apparents» du Soleil (course diurne de l'astre et balancement annuel entre les tropiques) définit le monde des humains, tandis que la Lune qui reflète la vie et la mort «traduit le processus de transformation graduelle de tout ce qui est».

Dans toute l'Afrique, les points cardinaux sont hautement valorisés, tout comme les notions de droite et de gauche. Parce que la case est le microcosme de l'univers, les pièces sont disposées en fonction des conceptions qu' ont les peuples. Pour les Fali du nord du Cameroun, la partie droite de la maison est en rapport avec l'est, la terre, l'homme, le monde connu, la tortue (emblème totémique d'une fraction des Fali) ; la partie gauche est liée à l'ouest, à l'eau, à la femme, au monde inconnu, au crapaud (emblème de l'autre fraction des Fali).

D'autres cultures valorisent la «liaison avec le ciel» et donc s'intéressent au pilier central de la maison des hommes ou au poteau axe de la tente. Dans ces cultures, le pilier de la maison devient le symbole de l'axe du monde.

Le cercle est l'image de l'unité et de la solidité, il représente pour les Bambara : «le dieu-point, le dieu-boule, Kuru». C'est le point de départ de tout ce qui se développera quand sera née l'orientation.

Toute personnalité doit être sentie comme microcosme d'un univers macrocosme. Ces conceptions sont, bien évidemment, liées à l'idée qu'on se fait, en Afrique, de l'existence. Celle-ci est vue comme cyclique : naître c'est mourir pour l'au-delà, mourir c'est naître dans l'au-delà ; entre les deux, c'est vivre sur la terre.

«Au commencement de toute existence était une calebasse. Elle remplissait le temps et l'espace. Elle était le Tout. Séparée horizontalement en son milieu, son couvercle formait le Ciel, et sa coupe la Terre. Le ciel était mâle et contenait l'eau. La terre était femelle et ses entrailles couvaient le feu. La calebasse toute entière était donc le Ciel, la Terre, l'Eau et le Feu.» Ce mythe adja de la naissance du monde symbolise l'univers sous la forme d'une calebasse, c'est-à-dire un élément rond.

Pour l'homme religieux africain, l'univers se conçoit comme une totalité constituée d'un réseau de relations ininterrompues où circulent, se heurtent ou s'accordent des énergies chaudes et froides, mâles et femelles, positives et négatives, fortes et faibles.

Les grands mouvements historiques sont associés à l'expansion des religions conquérantes : l'islam et le christianisme.

Ces dernières se sont surimposées aux religions traditionnelles, en ont été transformées à des degrés divers, puisqu'il est maintenant conventionnel de distinguer un «islam noir» et un «christianisme africain», ou ont provoqué des réactions de refus ou de sécession. Le débat et les affrontements religieux sont le résultat des contaminations culturelles et des dominations subies. Et cela, relativement tôt, puisque le continent africain a été, en longue durée, ouvert aux entreprises expansionnistes arabo-berbères et européennes.

C'est ainsi que trois religions principales coexistent en Afrique, dans une proportion qui varie profondément selon les régions : les cultes indigènes, l'islam et le christianisme.

Les différents courants colonisateurs ont amené avec eux leurs propres croyances et leurs propre symbolisme. En voulant absolument convertir les autochtones africains, les missionnaires ont surtout fait s'entrechoquer deux cultures opposées. Les Africains pensaient ainsi, comme bon nombre d'autres tribus, que la constitution de l'univers se symbolisait sous une forme ronde. L'homme ne domine pas le monde, il subit les différents forces du monde sensible. Le choc culturel fut énorme mais, par l'endoctrinement progressif des missionnaires, les tribus africaines ont perdu leur conception du monde pour l'adapter à une conception plus européenne, plus rationnelle et donc, par conséquent, plus «carrée».

CONCLUSION

À l'origine, de nombreux peuples se sont fondés sur les mêmes croyances et les mêmes perceptions du monde sensible. Le mandala est un principe universel de la formation de l'univers: que ce soit en Amérique du Nord, en Europe, au Tibet ou encore en Afrique, on retrouve dans les traditions culturelles le principe du mandala. Malheureusement, l'homme voulant dominer et expliquer tous les phénomènes de la nature, la conception circulaire du monde a laissé place à une conception plus scientifique et plus «carrée» du monde.

Pourtant, il ne faut pas oublier que, quelle que soit la force plus ou moins contraignante des croyances traditionnelles, le contenu de l'expérience qu'elles transmettent est condamné à subir, dans une certaine mesure, l'usure du temps, qui érode les divers modes d'expression du sacré, et qui peut modifier assez profondément la vision objective qu'une culture possède sur ses croyances. Le phénomène d'acculturation semble bien inéluctable.

LES MANDALAS
POUR LES ADULTES

Les adultes se servent souvent de mandalas comme supports à la méditation. De plus en plus de personnes, aujourd'hui, les utilisent pour
gérer leur stress. En effet, se concentrer sur un mandala, donner libre cours
à son imagination, laisser aller ses émotions et les dessiner sur papier, peut
servir d'exutoire à un grand refoulement ou à une peine profonde.

Prenez les mandalas suivants et coloriez-les suivant votre inspiration et
ce que vous ressentirez. Inspirez-vous des dessins suivants, ou prenez
la page si vous voulez. Le mandala de cette page est de Marie Pré pour
le dessin et de l'auteur pour la couleur.

Fraternité.
Mandala symbolisant la fraternité. Carrés, cercles, racine, oiseaux et hommes.

L'univers est un mandala sous diverses formes dont tout tourne autour de son centre, car le mandala est la roue de la vie. Le zohar dit : « Tout est enfermé en l'homme, il est le complément et l'achèvement de tout. »

Au commencement était le Verbe, or le Verbe procède du son. Le son cache en lui un mandala car, partant du centre, les ondes sonores se déploient en cercles concentriques à l'image du mandala. Toute forme dérive du point qui est sans dimension, tout en étant l'essence même du mandala.

Mandala indien. Inscriptions en sanskrit.

Un mandala est à la fois l'unité et la diversité. Il est pratiquement impossible de construire un mandala sans que quelque chose se mette en mouvement à l'intérieur. Le mandala est mouvement, c'est la roue de la vie. Tout acte de méditation est mandala. Le meilleur moyen de ne pas perdre le contact avec le centre est de demeurer conscient et de se surveiller à chaque instant.

Quoique circulaire, le mandala est souvent contenu dans une enceinte carrée. L'homme moderne ne s'arrête pas assez pour lire en lui-même. Il doit souvent se recentrer, sans savoir comment. Le mandala en est un moyen efficace.

Vous trouverez ci-après plusieurs modèles de mandalas d'où vous pourrez laisser l'empreinte de votre âme. Grâce à ces mandalas, vous pourrez aussi en créer par vous-même. Servez-vous-en pour vous, vos enfants, vos proches. Laissez libre cours à vos émotions. Vous serez surpris, en prenant le même mandala à des époques différentes de votre vie, de vous apercevoir que vous ne le ferez pas de la même façon. Il vous est également recommandé de dater au dos vos mandalas, afin de pouvoir, plus tard, les rattacher à une époque précise où vous les aurez dessinés ou colorés tout simplement. Grâce à eux, vous pourrez aussi connaître l'état d'âme de vos enfants ou adolescents. Vous y découvrirez leur joie, leur tristesse et leur secret indépendamment de la virulence, de la douceur ou de l'agressivité que vous y découvrirez. En effet, il ne faut pas se le cacher, la vie est de plus en plus difficile pour tout le monde, jeunes et adultes. Il y a, toutefois, une classe de personnes qui est souvent oubliée par tout le monde, aussi bien les personnes que les gouvernements, ce sont les aînés. Pourtant, Dieu sait combien ils peuvent être seuls, se sentir exclus de la société d'aujourd'hui. Aussi bizarre que cela paraisse, offrez-leur un cahier spécial de mandalas à colorer avec des crayons de couleur. Ils vous diront sûrement: «Penses-tu que je retombe en enfance?» Mais, lorsque vous leur aurez expliqué qu'un mandala est un ami, plus tard, ils vous remercieront et vous en redemanderont. Ce sera sûrement un des plus beaux cadeaux que vous pourrez leur faire.

Nénuphar.
Mandala symbolisant la vie qui flotte, tel un nénuphar dans le courant de la rivière.

Jardin.
Mandala symbolisant un jardin rempli de fleurs, ouverture sur le monde divin.

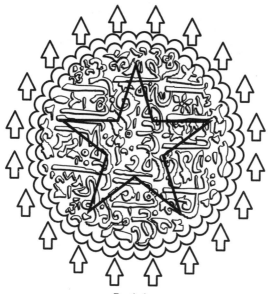

Destinée.
Mandala symbolisant le sens de la vie.

Imbroglio.
Mandala symbolisant les épreuves de la vie.

Cirque.
Mandala symbolisant l'arène de la vie.

Renaissance.
Mandala symbolisant la gestation de la vie.

Croisière.
Mandala symbolisant la croisière de la vie.
Ces cercles, étoiles, roues, figurations, fleurs, voguent au gré des joies et des peines.

Temple.
Mandala symbolisant le temple, le lieu de recueillement en chacun de vous.

Recherche.
Mandala symbolisant la recherche du bonheur.

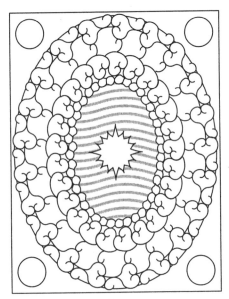

Intelligence.
Mandala symbolisant la pensée, la connaissance, la sagesse.

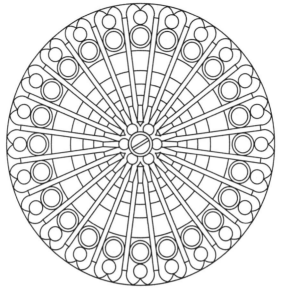

Circulation.
Mandala symbolisant le cycle de la vie.

Figure.
Mandala symbolisant la roue incessante du fleuve long et sinueux.

Espoir.
Manadala symbolisant la sérénité.

Rosace.
Mandala évoquant la plénitude de la vie.

CHROMOTHÉRAPIE
ET MANDALA

La chromothérapie sert, en général, à exprimer les émotions conscientes ou inconscientes de chaque individu. Thérapie par les couleurs. Chaque couleur a une action différente et agira sur certains organes.

Kabbale.
Colorier un mandala

COLORIER UN MANDALA

– harmonise les hémisphères opposés du cerveau;
– permet à l'individu d'accéder à ses racines et à son ressourcement intérieur;
– stimule les états d'émerveillement;
– éveille l'enfant intérieur;
– renforce le centre de l'homme.

CONTEMPLER LE MANDALA

– synchronise l'individu avec les énergies propres aux formes et aux couleurs du mandala;
– favorise la relaxation;
– stimule l'émergence des facultés supérieures;
– favorise la concentration;
– favorise le développement de l'imagination créative;
– renforce et équilibre les énergies.

EXERCICES DE MANDALA À L'EXTÉRIEUR

(en groupe)

LIEU: la forêt, de préférence, un champ, un pré ou une plage.

MATÉRIEL UTILISÉ: branche de bois, terre, bois pourri, herbes, sable, feuilles.

Saisons préférables: été et automne. Éviter les jours de grand vent.

BUTS:

Permettre à chacun de s'exprimer avec la nature à l'aide d'objets et de matières environnantes.

Découvrir et avoir un contact avec la diversité des formes, des couleurs, des plantes, des arbres.

Passer un moment calme et détendu dans la nature en prenant son temps.

Rassembler les travaux individuels en une fresque commune, donnant une unité au groupe.

Créer quelque chose d'éphémère.

APPLICATION:

Le groupe choisit l'emplacement sur lequel sera fabriqué le mandala.

Chaque personne nettoie son emplacement très attentivement.

Chaque personne doit prendre un objet qu'il trouve sur place.

Chacun dépose son objet dans un endroit qui sera le centre du mandala.

De ce centre, chacun ajoutera d'autres objets qui s'étendront, petit à petit, pour former une sorte de soleil.

Chacun devra relier son mandala à celui de son voisin avec des objets de son choix, comme des branches, des feuilles, des cailloux.

EXERCICES DE MANDALA À L'INTÉRIEUR

(en groupe ou en individuel)

COLORIAGE LIBRE

L'œil du futur.
Mandala symbolisant l'œil qui ouvre sur le devenir.

Coloriez un ou plusieurs mandalas selon votre intuition.

Contemplez vos mandalas quelques minutes.

Laissez venir à vous toutes les sensations que vous éprouvez en regardant vos mandalas.

Notez-les sur une feuille de papier.

Refaites cet exercice aussi souvent que vous le voulez, mais, au moins, une fois chaque mois.

MANDALAS DES ANIMAUX

(pour les petits)

La petite ferme.

Le roi des animaux.

Les chevaux.

Les éléphants.

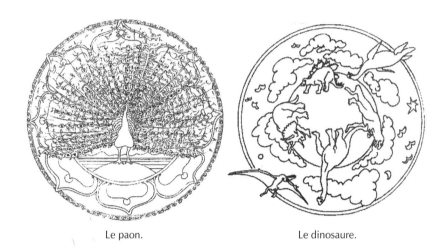

Le paon.

Le dinosaure.

Le dauphin.

Le totem.

LEXIQUE DES MOTS UTILISÉS

A

Aditya : Les divinités du ciel.

Agni : Le Feu, un des principaux dieux védiques.

Agni bija : Le germe du Feu.

Akshara : L'immobile, l'immuable.

Aksobhya : Bouddha associé à l'Est.

Amitabha : Bouddha associé à l'Ouest.

Amnda : Délice spirituel, béatitude de l'esprit, énergie de félicité.

Amoghasiddhi : Bouddha associé au Nord.

Anahâta nâda : Son nom frappé.

Angamantra : Nom d'un groupe de Mantra.

Anusamdhana : Fixation de l'attention sur un Mantra.

Anusvara : La résonance nasale (le bindu).

Ardhamstrâ : Demimore.

Arjuna : Ami, disciple de Krisna.

Asana : Position corporelle enseignée en Yoga.

Avatara (avatar) : Litt. «qui descend», Incarnation du divin. Les avataras sont les incarnations de Visnu, Rama, Krishna... Ses représentants descendent au monde pour y établir les principes de la religion. Par extension, a pris le sens général de réincarnation dans le cycle karmique (voir Karma).

B

Barthrari : Auteur d'aphorismes sur les buts de l'homme : le *Sâtakatraya,* rédigé à une date indéterminée (vers 500 av. J.-C.). Souvent confondu avec un philosophe grammairien de la fin du Vᵉ siècle de notre ère. Dans le texte, il s'agirait vraisemblablement de ce dernier (N.d.T.).

Bhagavadetâ: Le «Chant du Seigneur», dialogue reporté par écrit de l'avatara Vysadeva, qui se tint entre Sri Krsna et Muna, son dévot et ami. Le sujet en est la connaissance de la Vérité Absolue, de la condition originelle, naturelle, de tous les êtres distincts de la nature cosmique, du temps et de l'action. Elle forme l'essence de tous les textes védiques et d'études préliminaires au SrimadBhagavatan.

Bâairava (Bhairav): «Le Terrible», «L'Effrayant». Nom d'un des avataras de Siva, qui est dit être né du sang de Siva. Il est aussi considéré comme un serviteur de Siva.

Bakhti: Amour et dévotion pour le Seigneur, dévotion pour le divin.

Bhakta (ou vaisnava): Spiritualiste de l'ordre le plus élevé, Seigneur ou adorateur du Suprême, adepte du Bhaktiyoga (yoga de la dévotion): celui qui éprouve la Bhakti.

Bhuvana: Le monde.

Boḍdhisattva: Terme sanscrit qui signifie «celui dont l'esprit est éveillé et qui agit avec courage». C'est l'être idéal que doit devenir, par compassion envers les hommes, l'adepte du Mahayana aussi bien que celui du Vajrayana.

Bouddha Siddharta: Gautama est devenu le premier bouddha lorsqu'il a atteint la perfection dans la révélation. Il est considéré comme le fondateur du bouddhisme.

Brahma: Le Dieu Créateur.

Brahman: Le réel suprême qui est un et indivisible, infini et en dehors de qui rien n'existe. Le Soi Universel. À ne pas confondre avec Brahman, le dieu de la Trinité hindoue.

BüjaMantra (bijMantra): Racine, germe du Mantra.

Büja: Germe, division de bindu, Siva et ses voyelles; syllabe.

C

Calera : Centre, plexus, roue ou cercle par lequel passe la kundalini. Ils sont au nombre de sept, étagés et en étroite correspondance avec certaines fonctions physiques, mentales ou spirituelles.

Chakhra : Centres psychiques d'énergie le long de la colonne vertébrale.

Cit : La pure conscience.

D

Dakshina : Offrande.

Dhyani Bouddhas : On appelle ainsi les bouddhas utilisés habituellement pour la méditation.

Dama : Don.

Deva (DM) : Être vertueux, serviteur de Dieu. Être que le Seigneur a doté du pouvoir de régir un secteur de la Création Universelle, pluie, feu, soleil... et veille ainsi sur les besoins des êtres. Habitant des lieux édéniques. Dieu, la Personne Suprême.

Dhyana : État de méditation profonde, dernière étape avant le Samadhi.

Dlwali : Fête de la lumière en l'honneur de Laskshmi (Divali Mata). Elle est adorée la nuit, en allumant des lampes. Ces petites lumières sont interprétées comme des guides des esprits défunts du Paradis.

Durga : Celle dont on s'approche difficilement, ou dont il est dangereux de s'approcher. Souvent synonyme de Kali.

Durwa : Millet ou jonc.

E

Ekadasi : 11ᵉ jour d'une quinzaine d'un mois lunaire (au déclin et à la croissance). Ce jour-là, les Écritures recommandent, entre autres observances, le jeûne, ou, pour le moins, de s'abstenir de manger toute céréale ou légumineuse et de se consacrer au chant ou aux récits des gloires du Seigneur.

Est : Un des quatre points cardinaux. Le mandala doit être orienté vers l'est, qui est le siège de l'Aksobhya.

G

Ganapati : Ganésa (Ganesh), Fils de diva et Pârvâti. Le mythe le fait naître de la crasse du corps de Parvâti. Son nom a le sens de chef des troupes. Il est le dieu du commencement, car il détruit les obstacles qui empêcheraient de mener à bien une entreprise. Dieu débonnaire à tête d'éléphant. Ganesh gardait la maison en l'absence de Parvâti. Siva voulut entrer de force. Ne le connaissant pas, et suivant les recommandations de sa mère, Ganesh tenta de l'empêcher. Siva lui trancha la tête. À son retour, Parvâti remplaça la tête de Ganesh par celle d'un éléphant.

Garuda : Être mythique. Considéré comme le roi des Oiseaux. Moitié homme, moitié vautour. C'est aussi un symbole solaire, probablement un archétype du Phœnix.

Gâyatry : Un Mantra védique ; un mètre védique ; spécialement, la prière à Savitri, dans le Rgveda.

Gunas : Trois modes essentiels d'énergie ; chacune des trois qualités premières. Sattvaguna (vertu), rajaguna (passion) et tamaguna (ignorance). Il s'agit des diverses influences qu'exerce l'énergie matérielle sur les êtres et les choses. C'est par leur interaction que s'opère la création, le maintien et la destruction de l'Univers. Possède aussi le sens de corde.

Guru (gourou) : Maître spirituel, instructeur.

Garhyapatya : L'un des cinq feux sacrés domestiques. Le feu perpétuel du foyer; lorsque l'on s'établit dans sa propre maison, on se doit de toujours le garder vivant.

Gourou : Guide spirituel qui aide dans la connaissance de soi, qui enseigne et aide dans la méditation et la recherche intérieure.

H

Hanuman : Pur bakhta au corps de singe, serviteur de l'avatara Ramacandra

Hinayana : «Le petit vaisseau», désignation ironique appliquée au Theravada bouddhique.

I

Indra : Le Roi des Dieux. Le Grand Seigneur, le Grand Guerrier, qui détruit les démons.

Iswara : Seigneur, Dieu en tant que Seigneur de la Nature; le 4ᵉ Tattva. Le Brahman manifesté.

J

Jagrata : État de veille.

Japa : Répétition d'un nom sacré, d'un Mantra, en concentrant la pensée sur le sens spirituel profond des termes.

Jnâna : Connaissance de la sagesse par l'intellect. Voie de la connaissance. Savoir spirituel qui permet de distinguer entre le corps matériel et l'âme spirituelle. Recherche de la Vérité sur le plan philosophique.

Jnânayoga : Yoga de la Connaissance.

Jyotirlinga : Lumière de Shiva. Symbole de guna.

K

Kala : Portion, énergie limitatrice, division cosmique.

Kali : «La Noire», l'un des noms terribles de la déesse épouse de Shiva.

Kalpa : Période cosmique se répétant indéfiniment sans interruption sur les continents de l'Univers appelés Kharma bhrimi (terres de labeur, de l'action).

Kalpana : Construction mentale.

Kama : Le désir.

Karma : Loi de la nature selon laquelle toute action matérielle, bonne ou mauvaise, entraîne obligatoirement une ou des conséquences ; celles-ci ont pour effet d'enchaîner toujours davantage son auteur à l'existence matérielle et au cycle des morts et réincarnations successives. L'action, dans son acception la plus générale, ou les conséquences de cette action.

Karma yoga : Yoga de l'action qui procède par la voie des œuvres. Accomplir sans rechercher le fruit.

Kaula : Nom d'une école Tantrique.

Ketu : Nœud descendant, mais aussi admis comme le fils de Rudra. En tant que «Queue du Dragon», il est considéré comme le corps du Démon (voir Rahu).

Krsna : Nom originel de Dieu, La Personne Suprême dans Sa Forme spirituelle Première ; signifie aussi l'infiniment fascinant.

Ksam : Un bijMantra.

Kuber : Le roi des démons (parfois nommé «le Sans-Forme»), et des esprits Nocturnes. Plus tard, il deviendra le dieu de la richesse, des trésors et de la puissance de produire. Fils de Pukestya et Idavida. Représenté souvent par une silhouette de nain blanc.

Kundalini : Énergie subtile, identifiée assez souvent à une forme d'énergie sexuelle, mais de caractère cosmique, latente et assoupie au bas de la colonne vertébrale (souvent représenté par un serpent Naja enroulé sur lui-même) et que le yoga de la Kundalini cherche à éveiller. Associée au Çakra Moulhadhara.

L

La Sakti : (prise dans son sens d'Initiatrice) cherche elle aussi cet éveil.

Lakshmi : Déesse de la fortune. Compagne éternelle du Seigneur dans sa forme de narayana.

Lingam : Symbole du Dieu Créateur, générateur, symbole de fécondité ; Phallus : (voir Yoni, son inverse).

Lama : Nom tibétain pour gourou.

Locana : Bouddha associé au Sud-Ouest.

Lotus : Fleur composée de 8 pétales, utilisée dans la création de certains mandalas.

Lubsi : Basilic sacré dédié à Visnu.

Lurya : Le 4e état ou transe mystique.

M

Mandala : Diagramme mystique.

MahaMantra : Littéralement a le sens de Grand Mantra. Hare Krsna, Hare Krsna, Hare Rama Rama Rama... Préconisé pour l'âge de Kali (âge de fer dans lequel nous vivons) par le Seigneur Suprême.

MalâMantra : Mantra en guirlande.

Marut : Vent.

Manû : Un des organisateurs de la création humaine. Fils de Vivas navi.

Mâyâ : L'illusion ; la Prakitri inférieure (distincte de la Prakitri), ou puissance de la manifestation.

Enchaînement de l'âme à l'énergie matérielle, donc sujette au cycle du Karma.

Mahayana : «Le grand vaisseau». École de bouddhisme.

Mamaki : Bouddha associé au Sud-Ouest.

Mandala : Support dessiné et colorié, fait de cercles, de cloches, de triangles, de fleurs, de carrés, d'images et autres symboles, qui sert à la méditation et à la relaxation.

Mara : Imposante déesse de l'enfer.

Mimænsa : École de pensée, l'un des six systèmes orthodoxes de philosophie, celui qui s'est édifié pour élaborer les règles d'interprétation des textes védiques (essentiellement ceux du Yarjurveda). Le Vedanta lui emprunte beaucoup de ses conceptions, tandis que les ouvrages de Dhanma utilisent ses règles d'interprétation des textes.

<u>N</u>

Namah : Le nom.

Niiayamt : Épithète appliquée à Krishna ayant le sens approximatif de celui qui a fait de l'eau sa demeure ; sous sa forme de Dieu endormi sur le Serpent Sesa de l'Océan Primordial pendant la nuit cosmique.

N'wvâms : Immersion de l'égo dans l'existence infinie. Extase de la dissolution de l'aspect individuel pour faire place à la réalité.

Nord : Un des quatre points cardinaux, siège de Amoghasiddhi.

Nord-Est : Siège de Tara.

Nord-Ouest : Siège de Pandaravasini.

<u>O</u>

Ouest : Un des quatre points cardinaux, siège d'Amitabha.

<u>P</u>

Padmasambhava : École bouddhique.

Panini : Auteur de Sutra et d'aphorismes formant le texte de base de la plus importante école de grammaire sanscrite de l'Inde commentée par Patanjali (VIIe-VIe siècle) dans le Mahabjasya.

Patali : Auteur supposé des Yogasutra. texte de base du système classique du Yoga écrit autour du IIe ou IIIe siècle de notre ère.

Prabha : Cercle de rayons, grand halo de gloire autour de la tête de Siva et des autres. Également, un symbole de la danse de la nature.

Prakriti : Nature, énergie active par opposition à Purusa le principe inactif. Énergie créatrice proche de la Sakti.

Prim : Le souffle, l'énergie vitale.

Pranava : La syllabe mystique Aum, premier son émis par Brahma.

Pranayama : Technique respiratoire utilisée en yoga.

Prathyabara : La rétraction des sens.

Purâna : Groupe de textes appartenant à la Tradition. Théoriquement, ils racontent les origines de l'humanité et de l'histoire hindoue. En fait, ils contiennent, mis à la portée de tous, la matière des traités, rituels, codes, lois, lieux saints… de tout ce qu'un Hindou doit savoir et connaître pour agir correctement en toutes circonstances. Date de composition très variable. Possède aussi le sens d'antique.

Purm : Être ou âme, par opposition à Prakitri, qui est le devenir.

Pandaravasini : Bouddha associé au Nord-Ouest.

R

Rama : Une incarnation de Visnu, héros du Ramayana.

Rahn : Roi des démons qui est la cause des éclipses. Lorsque les dieux eurent baratté la mer de lait, Rahn se déguisa en l'un d'entre eux et en but. Le Soleil et la Lune révélèrent sa faute à Visnu qui trancha la tête de Rahn et la jeta dans le ciel. Alors que le nectar était descendu dans sa gorge, seul son corps mourut (Ketu) ; elle demeure immortelle. Pour se venger, de temps en temps, Rahu avale le Soleil et la Lune. Nom du nœud ascendant lunaire, ou tête du Dragon.

Rasa : Suc, sève, affection des sens, particulièrement dans l'idée de plaisir.

Risi : Celui qui voit la réalité telle qu'elle est rapportée dans les Védas.

Ratnasambhava : Bouddha associé au Sud.

Roue : Symbole utilisé dans le mandala.

Rudra : «Le Terrible». Nom le plus habituel dans la littérature védique.

Rudraksh : Sorte de rosaire composé des fruits d'un arbre (*Eleocarpus garnitus*).

S

Sabda : Son, parole *adbabrahman* : «La parole sacrée».

Sakti : Nom de la Mère divine comme énergie particulière. Primordiale. L'aspect féminin de l'Unique. Une certaine forme d'énergie sexuelle, mais, dans le Tantrisme, le terme est plus ambigu, car il désigne aussi l'Initiatrice, celle qui révèle à l'adepte la kundalini.

Satnâdbi : Extase yogique.

Satnsicaras : Ronde sempiternelle des morts et réincarnations successives, mais a un sens un peu similaire au terme Maya, en donnant l'idée du monde de l'illusion.

Sat : Être, existant.

Sattva : Le guna qui illumine, clarté, intelligence.

Siddha : Parfait.

Shastras : Écritures révélées.

Shiva : L'une des trois personnes de la Trinité hindoue. Le divin destructeur qui, en union avec sa Sakti, prend l'aspect de Créateur et revêt alors l'aspect du lingam.

SrimadBhâgavatan (bhâgavata Parnna, ou Mahâ Purina) : Écrit védique relatant les Divertissements éternels de Krishna, le Seigneur Suprême, et de ses Purs Dévots. Il constitue le commentaire originel, par son auteur (Vyva) du VedântSntra et est dit «la crème» de toutes les écritures védiques.

Sumeru : Montagne mythique où se transforme le Boddhicitta.

Susupti : Sommeil profond.

Syrya : Culte solaire venu de l'Iran ; Aditya en est la représentation.

Swaba : Fin de Mantra se terminant par un son équivalent à «Hail».

Swaha Mantra : Mantra se terminant par swaha.

Sud : Un des quatre points cardinaux, siège de Ratnasambhava.

Sud-Est : Siège de Locana.

Sud-Ouest : Siège de Mamaki.

Symbole : Objet utilisé dans le mandala avec une valeur abstraite : cloche, roue, diamant, lotus, vajra.

T

Tattva : Catégorie, éléments constituant le monde phénoménal.

Tejas : Force, énergie, irradiation de l'atman intérieur.

Tantra : Niveau élevé dans le yoga et la méditation.

Tara : Bouddha associé au Nord-Est.

Theravada : École bouddhique.

U

Uccara : Énonciation d'un Mantra.

Upamsu : Récitation secrète.

Upanishad : Ensemble de textes religieux brahmaniques dont
le thème général est la croyance en un au-delà.

V

Vack : Parole.

Varnamala : Alphabet.

Varans : Bordant le monde ou enveloppant le ciel.

Veda : Ils comprennent les quatre Vélo (le Rig, le Yajus, le
Sâma et l'Atharva) ainsi que les cent huit Upanishad, qui constituent leur partie philosophique,
et leurs compléments : les dix-huit Pùranas, le
Mahâbharata (dont fait partie la BhagavadGîta),
le VedântaSntra, et le Srimad Bhâgavatam. L'avatà-
ra Vysâdeva a compilé voici 5000 ans environ toute
la connaissance spirituelle de l'Inde, émise à l'origine par Krishna lui-même et transmise jusqu'alors
par voie orale. En font partie également tous les
écrits Parampara tels : le Ràmâyana, le Bhahtiram-
sâmita Sindhu, la BrahamaSamhitâ…

Vairocana : Bouddha associé au centre du mandala.

Vajra : Terme sanscrit qui désigne un objet rituel du bouddhisme tantrique composé de deux parties identiques, inversées.

Vajrasattva : Bouddha représentant l'unité originelle de l'esprit. On y dédie très fréquemment un mandala. C'est l'essence même de cinq bouddhas mâles pour la méditation.

Vajrayana : Il est associé au bouddhisme tibétain.

Vishnu : Dieu en tant que protecteur et conservateur de la création. Il s'incarne dans les Avatars Krsna, Rama... pour sauver les hommes.

Y

Yajna : Sacrifice, rituel offert aux dieux.

Yajurveda : Un des quatre Véda qui comprend à la fois des formules sacrificielles et des explications en prose.

Yab-Yum : Unification de la déité du mâle et de la femelle, signifie aussi l'unité de la clarté et du vide de l'existence. On la symbolise par la cloche et le vajra.

Yidam : Bouddha pour la méditation.

BIBLIOGRAPHIE

BUCK, Pearl, *Mandala,* Éditions Stock.

CAZENAVE, Michel, *Encyclopédie des symboles,* Le Livre de poche.

CHATELLIER, Michèle V., *Créations de talismans,* Québécor.
 − *La Numérologie démystifiée,* Québécor.

CHEVALIER, Jean & GHEERBRANT, Alain, *Dictionnaire des symboles,* Robert Laffont, Jupiter.

COLLECTIF, *Guide illustré des religions dans le monde.*

COLLECTIF, *Les Couleurs dans la vie,* Servranx.

CROSSMAN, Sylvie, *Tibet, la roue du temps,* Actes Sud.

DAHLKE, Rudiger R. Dc, *Mandala,* Dangles.

DAKLKE, Rudiger, *Mandalas, comment retrouver le divin en soi,* Dangles.

DAVIS, Courtney, *Celtic mandalas,* Blandford.

DUMAS, Jeanne, *Les Mandalas numériques.*

ENCYCLOPÉDIE MS. ENCARTA, *Mandala.*

FINCHER, Suzanne F., *Comment créer et interpréter vos propres mandalas,* Dangles.

GIMBEL, Théo, *Les Pouvoirs de la couleur,* Sand.

HANSEN, Jytte, *Mandala,* Albertslund.

JUNG C.G., *L'Homme et ses symboles,* Robert Laffont.
 − *Commentaire sur le mystère de la fleur d'or,* Robert Laffont.

LADUREE, Marlis, *Mandalas,* Albin Michel.

MANDALA, Patrick, *Le Voyage au centre de soi,* Sand.
 − *La Divine énergie,* Dervy.

MANDALI, Monique, *Mandala,* Coloring book, Everyone's.

NOBIS, Jean-Claude, *Le Manuel pratique de chromothérapie*, Éditions Holista.

PEMA LOSANG, *Chogyen, sand mandala construction*, Cornell University.

PLASAIT, Jean-Michel, *Plaisir et magie du mandala*, Le Courrier du livre.

PRE, Marie, l'Hermitage, Saint Server-Calvados-14380 France, *Mandalas*.

SMEDT, Evelyn de, *L'Univers des mandalas*, Éditions Retz.

TRUNGPA, Chogyam, *Le Mythe de la liberté*, Le Seuil.

WHITE, P., *Le Mystérieux mandala*, Gallimard.

– *Las esperas del mandala*, Barral.

SITES INTERNET :

HYPERLINK http://www.vanchatou.com

HYPERLINK http://perso.wanadoo.fr/centrevanchatou

HYPERLINK http://perso.wanadoo.fr/association.clara/page7.htm
http://www.au-centre-du-pivot.ch/Mandala/default.htm

HYPERLINK http://www.bouddha.ch/mandala.htm
http://www.mandala-arche2000.com

HYPERLINK http://mandalaz.free.fr

MICHÈLE V. CHATELLIER...

- a créé officiellement le Centre Ésotérique Van Chatou en 1990;
- a étudié l'Astrologie naturelle, médicale, homosexuelle et karmique; les tarots; la chirologie; la numérologie à 9 et 22 nombres; le Yi-King; la géomancie; les Anges de Lumière; l'alchimie; le magnétisme; la Kabbale; la Bible; l'aura et les chakhras; les talismans, tout ce qui touche l'ésotérisme, et ce, depuis plus de 25 ans;
- a fait de nombreuses recherches sur le karma et la réincarnation, ainsi que la magie, les envoûtements, la radionique, les désenvoûtements et les phénomèmes paranormaux.
- médium et kabbaliste, elle aide dans la recherche de croissance personnelle, de rituels et de talismans.

Elle est:
- diplômée de l'Association des Astrologues agréés du Québec;
- diplômée du 1er degré pour l'utilisation des énergies et la maîtrise du 6e sens (aura, crystal, harmonisation des vibrations, méditation Alpha, et avec rituels);
- diplômée du 2e degré pour l'usage du pendule, guérison et autoguérison spirituelle et holistique, par la méthode Zapuaz, qui est le rapport des unités (chakhras) par le centre (énergie, terre) pour unifier les directions afin de récréer l'unité cosmique (utilisation des ondes de forme et des formes-pensées, harmonisation des énergies en accord avec les couleurs et les énergies universelles).;
- bachelière ès Arts (B.A.) de l'Université de Montréal;
- maître Reiki, diplômée en formation d'harmonisation des chakhras, fleurs de Bach, réflexologie, métaphysique appliquée et reiki karuna;
- diplômée en Maîtrise en Études françaises (M.A., Ph. D.) de l'Université de Montréal;
- inventeur du jeu de société «LITTERISTOIRE», basé sur la littérature et l'histoire du monde entier (non publié... avis aux intéressés);
- auteur et professeur de tous les cours donnés par le Centre Van Chatou;
- écrivain public: rédaction et correction de manuscrits pour auteurs et maisons d'édition et rédaction de biographies pour personnes privées;

– auteur de HYPERLINK http://www.vanchatou.com/livres.htm
– auteur de:

Rituels des Bougies, publié chez Québécor; traduit en espagnol *(Rituales con velas)*;
Créations de Talismans, publié chez Québécor;
La Numérologie démystifiée, publié chez Québécor, traduit en tchèque *(Tajemstvi numerologie)*;
Tarot de Marseille (en deux tomes), publié chez Québécor.

CENTRE VAN CHATOU

Le Centre – créé, en 1990, par l'auteur, Michèle V. Chatellier – offre:
– 58 cours par correspondance en ésotérisme et naturopathie;
– offre des ateliers;
– des études personnalisées par correspondance;
– des consultations par correspondance;
– il crée des talismans, des mandalas et des rituels;
– il fournit des outils pour croissance personnelle;
– il résout les problèmes reliés aux phénomènes paranormaux;
– initie aux différents degrés de Reiki.

Pour toutes informations, envoyez une enveloppe affranchie au:

969, avenue Auguste Renoir
Mandelieu 06210, France
Tél. 04.93.93.06.47

Site internet:
http://www.vanchatou.com
vanchatou.com@vanchatou.com

Ou à l'éditeur qui fera suivre.

Si vous souhaitez vous procurer des cahiers de mandalas à colorier qui comprennent beaucoup de modèles de grand format, veuillez contacter l'auteur.

REMERCIEMENTS

À Marie Pré – L'Hermitage - Saint Server-Calvados - 14380 France –,
Pour son aimable permission d'utiliser quelques mandalas pour petits
et grands.
Son site :
HYPERLINK « http://mandalaz.port5.com/fr/mandalas_grands. html »

À M. Gaillard et M. Pierre van Obberghen
Pour leur gentillesse et pour m'avoir autorisée à utiliser la photo de leur
palette de couleurs.
Leur site :
HYPERLINK « http://www.le-gaulois.com/mgaillard/chromo.htm »

À M. Bérard,
Pour avoir bien voulu m'autoriser à utiliser quelques photos de ses repor-
tages sur la dispersion du mandala et la création en Allemagne en 1996.

À M. Robert Brandt-Diény, vén. Saddhânanda,
Pour son extrême amabilité à m'autoriser à utiliser le merveilleux mandala sanscrit.

À M. Frédéric Baylot,
Pour sa collaboration dans l'obtention des photos de la création du
mandala de sable et sa dispersion. « http://www.ifrance.com/Baylot »

L'astrologie est, en Inde, un système de connaissance de soi et du monde. Elle est complémentaire à toute discipline visant à réduire le conditionnement, l'ignorance, la douleur.

Dans cette astrologie sidérale qui a ses racines en Inde, jamais l'horloge du ciel n'avance ni ne retarde : le zodiaque des étoiles est son cadran, et la Lune est sa grande aiguille.

Un être est un nœud d'énergies dont le thème natal est une représentation. Nous pouvons apprendre à y déchiffrer ces rapports de forces qui déterminent les capacités et les goûts, les faiblesses, les comportements, la répétition de certains types d'expériences, l'orientation d'un destin.

Ce B.A.-BA de l'*astrologie indienne* est une prise de contact avec une technique nouvelle, mais aussi avec une philosophie, un point de vue de l'existence. Il aide aux premiers pas du lecteur d'une manière simple et directe.

Si nous considérons les livres de méditation comme des cartes de l'espace intérieur, le bouddhisme offre certainement la carte la plus complète. Il étudie la totalité des méthodes et les effets qu'elles induisent dans la psyché du disciple. La pratique de la méditation est le cœur vivant du bouddhisme. C'est elle qui mène à la «libération» finale, au Nirvâna.

Ce **B.A.-BA** *de la méditation bouddhique* présente d'abord un panorama des différentes voies: amidisme, école T'ien-t'ai, Vajrayâna tibétain, zen. Puis il tente de dégager l'essence, au-delà des formes particulières, en se basant, notamment, sur le bouddhisme originel et le *Visuddhi-Magga* (Vᵉ siècle), sans doute le traité le plus complet sur le sujet. Il traite aussi de la place du maître dans le bouddhisme et des conditions extérieures: lieu, moment, posture, etc.

Il s'appuie essentiellement sur la distinction entre les deux pratiques majeures de la méditation bouddhique: l'*investigation* et la *concentration*.

L'investigation consiste à percevoir les mécanismes du «moi», afin de s'en libérer; la concentration conduit aux différents états d'absorption (les Samâdhi du yoga) appelés Rûpa-Jhâna et Arûpa-Jhâna.

Toutes les autres démarches spirituelles ont tendance à privilégier l'une des deux pratiques et à développer soit l'investigation (Krishnamûrti, Gurdjieff) soit la concentration (yoga, soufisme). Or, sous sa forme complète, le bouddhisme montre clairement qu'il est nécessaire de les allier en un tout harmonieux.

Comme le dit Tsong-kha-pa: «La concentration n'a pas à elle seule le pouvoir de couper la racine de Samsâra. La sagesse, dissociée du calme mental, multiplie en vain les analyses… aussi, faisons enfourcher à la Sagesse qui perçoit la vacuité le cheval de l'inébranlable calme mental.»

L'auteur livre une méthode de méditation simple, pratique et complète. Elle commence par une réflexion sur l'impermanence, se poursuit avec l'attention au souffle, la concentration, pour culminer dans l'état de quiétude exempt de pensées. L'investigation du «moi» pourra y prendre son point d'appui. La pratique trouve sa conclusion dans le *Mahâmudrâ*, le «Grand Geste», qui unifie toutes choses.

Pour finir, le livre étudie les problèmes de la pratique au quotidien.

Déjà paru, dans la collection B.A.-BA

(2ème édition)

Le nombre et la ferveur de ses fidèles font du bouddhisme une des trois premières religions du monde. L'engouement qu'il suscite dans l'Occident chrétien confine à un véritable phénomène de société.

Son fondateur, Siddhârtha Gotama, le *Bouddha*, c'est-à-dire l'«Éveillé», prêcha en Inde il y a vingt-cinq siècles, guidant ses compatriotes sur la route de la connaissance. L'ignorance, le désir, la haine demeurent, expliquait-il, les racines du malheur de l'homme, tourmenté par son appétit de jouissance, sa faim de divertissement, emporté par le torrent du devenir sans jamais pouvoir briser l'emprise des passions ni s'opposer aux rigueurs du sort.

En démontant les mécanismes de la souffrance et du mal, Bouddha, le Grand Médecin, montra comment connaissance et maîtrise de soi permettent de gagner, sur «l'autre rive», le Sentier sacré où les liens sont tranchés, la soif éteinte, la conscience apaisée aux portes du *Nirvâna*.

Prenant refuge dans Bouddha, prenant refuge dans la Loi *(Dharma)*, prenant refuge dans la communauté *(Sangha)*, des millions d'êtres se conforment toujours au message du prophète, venu, dans la compassion, dévoiler à l'humanité la technique de la délivrance.

Qui était Bouddha? Comment sa doctrine conquit-elle, après sa mort, l'ensemble de l'Asie et fut-elle adoptée avec enthousiasme par les plus grands penseurs de Chine et du Japon, avant de se répandre en Occident avec le bonheur que l'on sait?

Ce B.A.-BA *du bouddhisme* répond à toutes vos questions sur l'émergence du culte, son fonds doctrinal, son expansion fulgurante. De manière simple et complète, il fait le point sur les trois courants qui le composent: Petit Véhicule, Grand Véhicule (dont le *zen*, son prolongement le plus «moderne»), tantrisme tibétain aux *mantras* et *mandalas* dotés de pouvoirs magiques.

Dans un monde où l'esprit perd chaque jour du terrain, l'auteur montre comment le bouddhisme peut apporter à nos contemporains en quête d'absolu l'alternative qu'ils attendaient. À chaque étape de leur cheminement spirituel, ils découvriront, pour les aider, un sourire: celui du prince Siddhârtha, le Vainqueur, le Parfait, le Trouveur de la Vérité.

(2ᵉᵐᵉ édition)

L'Ayurvéda constitue l'un des systèmes naturels de santé les plus anciens et les plus riches au monde. Issue de l'ancienne sagesse de l'Inde exprimée dans les Védas, la «science de la vie» ou *Ayur-Véda* considère avec précision les facteurs de santé ou de maladie, tant dans le domaine physique que dans celui de l'esprit.

Le B.A.-BA *de l'Ayurvéda* propose un vaste panorama de la sagesse de l'Ayurvéda, de la découverte de nos tendances pathologiques aux mesures naturelles de prévention et de thérapie :

- Évaluation de notre constitution selon les trois «humeurs» biologiques.
- Connaissance de la meilleure alimentation pour chacune des huit constitutions.
- Évaluation et thérapie naturelle de la toxémie, source de toutes les maladies selon l'Ayurvéda.
- Emploi des moyens simples d'élimination pour prévenir l'installation de troubles de santé.
- Utilisation des plantes courantes de santé, ainsi que de formules plus élaborées.
- Pour la première fois en français, description de quelques Marmas ayurvédiques, ces points d'acupuncture découverts par l'ancienne civilisation de l'Inde.
- Tableaux de correspondance entre l'Ayurvéda et l'ancienne astrologie de l'Inde *(Jyotish)* pour connaître nos tendances énergétiques.

L'Ayurvéda préserve un héritage tellement important qu'il peut apporter des outils à tous les amateurs ou professionnels des méthodes de santé naturelles : homéopathes, acupuncteurs, naturopathes, pratiquants du Yoga ou des arts énergétiques chinois. L'auteur a puisé aux sources traditionnelles de l'Ayurvéda les plus sûres en Inde et au Népal dès 1981, date de son premier ouvrage sur le sujet.

(2ème édition)

Le chamanisme est ce formidable élan de reliance qui réunit l'homme et l'ensemble de la création.

Le chamane agit en intermédiaire entre le monde des humains et celui des morts, des esprits et des dieux ; ses initiations, sa reconnaissance par la tradition lui permettent de "voyager" dans l'invisible. Il est, à la fois, prêtre d'un culte traditionnel de reliance avec les forces sacrées de la nature, sorcier par ses connaissances et savoirs, par ses relations avec les esprits de pouvoir, guérisseur par ses actions de soins et d'aide sur les personnes qui font appel à lui. Le chamane, par ses longues années d'initiations et de formations, a acquis le pouvoir de parler avec les esprits, de se métamorphoser avec ses esprits de pouvoirs, pour devenir, l'espace d'un rituel, un esprit de pouvoir.

Le chamanisme est ce formidable chant d'amour et de reliance qui unit les hommes au monde des esprits et des dieux.

Dans ce B.A.-BA *du chamanisme,* l'auteur nous parle de la plus ancienne religion, apparue avec l'homme sur la planète, comme une réponse des dieux aux troubles et difficultés des humains à comprendre et régler leurs problèmes. Le chamane, par ses initiations, acquiert la possibilité de "voyager" entre les différents mondes. Il est l'intermédiaire entre les esprits et les hommes. Par son pouvoir, il est apte à faire appel aux forces sacrées pour aider ceux et celles qui font route vers lui.

(2ème édition)

Les fleurs de Bach doivent leur appellation à un médecin anglais, Edward Bach, qui a mis au point, entre 1930 et 1936, une série de préparations à base de fleurs sauvages. Cette série de 38 élixirs permet d'intervenir sur les différents plans vibratoires de l'être, et plus particulièrement sur le niveau émotionnel.

Lorsque la difficulté rencontrée est passagère, et en fonction de la nature de celle-ci, peur, doute, impatience, chagrin, faiblesse ou autre enthousiasme démesuré, un ou plusieurs élixirs, pris selon une posologie adaptée, permettront de retrouver rapidement sérénité et plénitude. Dans d'autres situations, en correspondance avec des problématiques plus anciennes ou plus tenaces, les fleurs de Bach permettront de dissiper le blocage grâce à une action à plus long terme.

Un des principaux intérêts des élixirs du docteur Bach est l'absence totale de toxicité pour le corps humain. De même, aucun risque n'est encouru en cas de contre-emploi ou de surdosage des élixirs.

En conséquence, ce B.A.-BA *des fleurs de Bach* aura une double vocation. Dans un premier temps, celle de vous faire découvrir chaque élixir dans une présentation claire mais volontairement épurée, de manière à conserver l'essentiel des indications thérapeutiques de celui-ci. Puis, celle de vous permettre d'utiliser, par vous-même, ces joyaux de la nature, en vous livrant de nombreux conseils pratiques.

Bien évidemment, vous saurez faire la part des choses et ne pas substituer, de manière abusive, l'emploi des élixirs floraux à une démarche médicale complète.

« Améliorer son karma », « positiver son karma », « nettoyer son karma »… Autant d'expressions laissant entendre que le karma serait un concept négatif, passif.

L'Occident moderne a oublié qu'étymologiquement *karma* signifie « action », « devenir » ; une notion qui donna la mesure du mot « rite », autrement dit la mise en ordre du monde.

Oriental, le concept de karma ? Pas seulement. L'Occident a connu cette approche du monde en devenir, de l'Action et du Destin, d'interaction des causes et des effets, des événements, en lui donnant différents noms.

Les tenants modernes des religiosités spirituelles occidentales traditionnelles l'appellent couramment — comme les Anglo-Saxons d'hier — *wyrd*.

Ce B.A.-BA *du karma* entend proposer, en une synthèse originale, cette double approche conjointe du karma oriental et du wyrd occidental.

Plus que jamais, dans un monde perdant le sens de son lien naturel, il est à propos de comprendre la notion traditionnelle du karma/wyrd pour restaurer l'harmonie entre l'être humain et son environnement.

Déjà paru, dans la collection B.A.-BA

(2ème édition)

La psychogénéalogie est un art, une science, une pratique, qui allie, comme son nom l'indique, les techniques courantes de recherche généalogique aux connaissances, sans cesse actualisées, de la psychologie.

Selon le niveau de compétence de chacun, dans ces deux domaines, les études menées en psychogénéalogie iront de la simple découverte des spécificités familiales à de véritables prises en charge thérapeutiques. C'est certainement une des raisons majeures qui permet à la psychogénéalogie d'être, actuellement, très en vogue et unanimement plébiscitée.

Ce B.A.-BA *de la psychogénéalogie* va donc permettre à toutes les catégories de lecteurs, du novice au spécialiste, de puiser des informations spécifiques et adaptées. Le débutant appréciera le côté pratique de l'ouvrage, l'exposé des principes fondamentaux de la généalogie, de la génétique ou des concepts psychologiques. Pour les autres, la présentation des syndromes familiaux spécifiques, des reproductions ou oppositions parentales, des lignées et des systèmes de fratries particuliers, devrait être captivante. À ce niveau, les experts en psychologie décèleront l'aide indéniable apportée par l'arbre généalogique dans les thérapies familiales courantes.

Ainsi, le génosociogramme constitue-t-il l'outil de base de la psychogénéalogie. Il mérite d'être découvert, et même, une fois la lecture de ce livre terminée, d'être expérimenté dans son propre univers généalogique.

La relaxation est un moyen, un outil pour communiquer avec son inconscient. Vous pouvez, bien sûr, décider de vous en servir, uniquement, comme d'une méthode pour vous détendre agréablement. Vous pouvez, également, en profiter pour que votre subconscient devienne un allié. C'est pourquoi nous avons apporté beaucoup de soin à traiter ce que nous appelons les « affirmations positives » : comment les construire, les erreurs à ne pas commettre, etc.

Nous vous proposons également des stratégies pour associer entre elles vos affirmations personnelles. Nous y avons ajouté un très grand nombre d'affirmations positives qui peuvent vous servir de modèles pour créer vos propres relaxations. Enfin, nous abordons le concept, si important, de *l'enfant intérieur* qui permet de mieux gérer les résistances inconscientes.

Cet ouvrage se veut pratique, pragmatique. Il propose, tout d'abord, une méthodologie permettant d'apprendre, progressivement, en neuf étapes, à se relaxer.

Aux neuf relaxations qui permettent d'apprendre à se relaxer, à son rythme, nous avons, entre autres, ajouté deux relaxations *toniques*.

Avec ses dix-neuf relaxations, ce B.A.-BA *de la relaxation* se présente comme un véritable cours pratique. Nous avons essayé, autant que faire se peut, de faciliter votre apprentissage : en suivant la méthodologie proposée, chaque relaxation vous permettra d'améliorer votre pratique.

Loin des fantaisies *« new age »* des spiritualistes, pour lesquels elle est une « nouvelle chance », la *réincarnation* signifierait – comme le Purgatoire – la miséricordieuse possibilité de parfaire ce qui n'a pas été achevé le temps d'une vie ici-bas: la rupture avec le désir.

En ce sens, l'usage du mot pourrait être fondé, évitant les conséquences des préjugés humano-individualistes propres aux Occidentaux déspiritualisés, volontiers accommodants lorsqu'il s'agit de leurs propres erreurs et manquements.

Dès lors, la question est moins de savoir si « notre âme » quittera son enveloppe de chair pour en adopter une autre (et… *« il y a beaucoup de demeures dans la Maison de mon Père »* [Jean, XIV, 2]), que de savoir à quoi, *aujourd'hui*, nous vouons cette âme qui nous a été confiée.

Ce B.A.-BA *de la réincarnation* montre que la raison suffisante de notre vie est l'affranchissement des contraintes cosmiques, jusqu'à la naissance de la « chair » à l'« Esprit »… et non pas de chercher le moyen d'attiser et prolonger l'appétence du désir existentiel.

(2ème édition)

Alphabet divin, les symboles formulent les principes non humains ; ils écrivent l'Esprit avec les lettres de la Nature.

Le symbolisme est une espèce d'univers de *subtilité*. On n'y accède pas sans s'être, au préalable, affranchi de ses préjugés personnels et des sentiments inhérents au langage commun du monde sensible.

Ce B.A.-BA *des symboles* propose une véritable initiation à l'univers symbolique, par l'observation des principes et des formes qui régissent les cent vingt symboles fondamentaux qui ont été étudiés.

Le bagage, indispensable à la compréhension des traditions, est ramené au seul volume nécessaire. Ainsi, cet ouvrage offre la possibilité de saisir d'emblée le système de la perception *analogique* – donnée majeure – et le principe *intuitif* de compréhension, sans présenter au lecteur le surcroît des applications subsidiaires, le plus souvent strictement contingentes, qui ne feraient qu'encombrer son étude.

Les images mentales, supports de la réflexion, sont simplement indexées, mais également traitées selon une exposition suggérant tous les rapports, les parallèles, les relations et les affinités – clefs du monde des symboles.

Un choix de 550 illustrations précises vient enrichir le texte.

(2ᵉᵐᵉ édition)

Le Yi King (ou Yi Jing, en chinois moderne) est l'un des livres les plus anciens de l'humanité. Dès le XVIIᵉ siècle avant J.–C., les devins chinois annotèrent de dessins leurs craquelures divinatoires sur les omoplates de bœuf et sur les écailles de tortue. Puis, vers -1200, les dessins, devenus écritures, furent réunis et collationnés et, vers le IVᵉ siècle av. J.-C., le livre fut définitivement codifié en un ensemble complet de 64 figures de six lignes chacune, décrivant toutes les façons Yin et Yang de réagir face aux événements, quels qu'ils soient.

Une figure de Yi King n'est pas un horoscope fixant un destin mais, au contraire, un **conseil d'action** précis permettant d'accomplir librement l'acte juste pour être en harmonie avec le grand mouvement de l'Univers visible et invisible.

Pour recevoir ce conseil lucide et sage, il vous suffit de **trois pièces de monnaie** ordinaires et de ce B.A.-BA *du Yi King.* La réponse et son évolution se gravent dans la mémoire par des aphorismes bien frappés qui rendent le sens originel du texte littéral chinois.

Le commentaire de chacune des 64 figures est adapté à l'**amour**, à la **santé** et à la **vie sociale et spirituelle**. Ainsi, vous trouverez ici, comme des millions de Chinois depuis trente-deux siècles, un ami sûr et désintéressé qui vous conduira vers une vie sereine, épanouie et victorieuse.

Ce livre, composé en «Garamond» corps 12, a été réalisé par l'atelier des éditions Pardès. Achevé d'imprimer en mars 2003 sur les presses de l'Imprimerie Expreso, Madrid (Espagne). Dépôt légal : mars 2003.